Anjos à Mesa

Anjos à Mesa

DEBBIE
MACOMBER

Tradução
Rafael Gustavo Spigel

Novo Conceito

Publicado originalmente nos Estados Unidos por Ballantine Books, um selo de
The Random House Publishing Group, uma divisão de Random House, Inc., New York
Título original: Angels at the table

1ª Impressão – 2013

Produção editorial:
Equipe Novo Conceito
Impressão e Acabamento RR Donnelley 151013

Este livro segue as regras da Nova Ortografia da Língua Portuguesa.

Dados Internacionais de Catalogação na Publicação (CIP)
(Câmara Brasileira do Livro, SP, Brasil)

Macomber, Debbie
Anjos à mesa / Debbie Macomber ; tradução Rafael Gustavo Spigel. -- Ribeirão Preto, SP : Novo Conceito Editora, 2013.

Título original: Angels at the table.
ISBN 978-85-8163-341-1

1. Ficção norte-americana I. Título.
13-10377 CDD-813

Índices para catálogo sistemático:
1. Ficção : Literatura norte-americana 813

Novo Conceito

Rua Dr. Hugo Fortes, 1885 – Parque Industrial Lagoinha
14095-260 – Ribeirão Preto – SP
www.editoranovoconceito.com.br

Novembro de 2012

Queridos amigos,

Elas estão de volta! Nos últimos três anos, li mensagens vindas por meio de variadas formas de comunicação, questionando quando eu iria escrever outro livro com as personagens Shirley, Goodness e Mercy. Bem, meus amigos, aqui está o livro, após três anos de produção. Desta vez, meu trio visita Nova York e, como de costume, elas aprontam todas, causando muitas confusões e se envolvendo nos relacionamentos humanos. De fato, elas não conseguem se conter.

Este livro é especial porque nele apresento um novo anjo, cujo nome é Will. Sua criação resulta de uma carta recebida de uma leitora há muitos anos. Rose Williamson sugeriu-me um anjo chamado Will. Eu me lembro de ter franzido a testa quando li a carta e pensado: "Por que dar vida a um novo anjo, e por que ele se chamaria Will?". Ao continuar lendo a carta, Rose explicou: "Visto que você criou os anjos com base no versículo da Bíblia do Salmo 23, que diz 'Surely, goodness and mercy *will* follow you...' [1]". Imediatamente, Will, um aprendiz de anjo, nasceu na minha mente graças a essa perspicaz leitora que compartilhou comigo uma ótima ideia. Obrigada, Rose!

---

[1] **N.T.: "Bondade e misericórdia certamente me seguirão..."**

Portanto, fuja da loucura da época das festas de final de ano, acomode-se com uma xícara de chá quente e um docinho natalino e coloque os pés para o alto. Relaxe e se prepare para rir. Caso você veja um camelo vagando pela rua completamente sozinho, poderá tentar adivinhar quem está por trás dessa travessura.

Desejo-lhe um maravilhoso Natal!

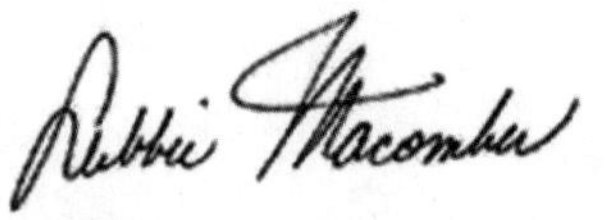

P.S.: Sempre amo ler o que meus leitores escrevem, portanto, não hesitem em entrar em contato comigo. Você pode escrever para mim em meu site, em www.debbiemacomber.com, ou pelo Facebook, em DebbieMacomberWorld, ou ainda pela caixa postal 1458, Port Orchard, WA 98366. Valorizo muito comentários e sugestões.

Para Diane DeGooyer Harmon e Kathy Huard, dois anjos especiais que Deus me enviou quando eu mais precisava deles.

Capítulo 1

— **E**sta é mesmo a Terra? — Will, o aprendiz de anjo, perguntou, deitando-se de bruços sobre uma nuvem baixa na companhia de suas três mentoras. Os olhos dele se arregalaram ao contemplar a tremenda agitação lá embaixo.

— Esta é a Terra — Mercy informou a seu jovem protegido com uma ponta de orgulho. Apesar de todos seus problemas, a Terra era um local fascinante para se visitar, com altos prédios que esbarram no céu e pessoas num vaivém desenfreado, a maioria delas sem perceber o mundo espiritual que as cercava. Mais vezes do que conseguia se lembrar, Mercy havia perdido a paciência com os humanos, considerados o ápice das criações de Deus, mas aparentemente vagarosos e espiritualmente monótonos. Ainda assim, ela os amava e apreciava as atribuições terrestres que recebia.

— É Nova York — Shirley complementou, repousando o queixo sobre as mãos enquanto contemplava ansiosamente lá embaixo. — Ah, como eu amo essa cidade.

— Manhattan, para ser mais precisa — Goodness esclareceu, e terminou com um breve suspiro, indicando que ela, igualmente, sentia falta de visitar a Terra.

Os quatro pairavam perto da Times Square, observando a barulhenta multidão disputando um espaço no revéillon.

Os olhos de Will arregalaram-se enquanto ele analisava atentamente a cena que ocorria nas ruas abaixo.

— É sempre assim, tão agitada e tumultuada?

— Não, não, esta é uma noite especial. As pessoas estão se reunindo para saudar o ano-novo. — O tempo era um conceito exclusivo da Terra, diferente do que ocorria no céu. Consequentemente, a restrição de tempo exigida das três Embaixadoras da Oração ao receberem atribuições terrestres tinha causado mais do que um problema.

— É verdade que Gabriel queria que nós...

— Gabriel — Shirley ofegou, interrompendo-o com rapidez. — Ele não sabe exatamente que nós o trouxemos aqui. Talvez seja melhor você não contar a ele essa breve visita, certo?

— Sim, por favor; seria melhor não deixar *ninguém* saber que nós lhe mostramos a Terra. — Nem é preciso dizer que eles estariam envolvidos em todos os tipos de problemas se Gabriel descobrisse o que andavam aprontando.

— Gabriel tem boas intenções, mas ele tende a ficar um pouco irritado em relação a esses assuntos — Goodness explicou a seu jovem protegido.

— Por quê? — Will fitou as três.

— Bem, sabe, nós... nós três... pensamos que deveríamos lhe proporcionar uma visão panorâmica da Terra e dessas pessoas que amam tanto Deus, com finalidade estrita de treinamento. — Mercy olhou para os amigos para comentar sobre as intenções deles, que seriam honrosas se não fossem ligeiramente sorrateiras.

Essa visita terrestre fora uma decisão impulsiva. Mercy a sugerira. Naturalmente, Goodness não hesitara em concordar, e, após uma breve discussão, Shirley também ficou animada.

Will, um anjo aprendiz, fora colocado sob a responsabilidade delas, e com essa honra, era justo que ele vislumbrasse as provações e as tribulações que o aguardavam assim que começasse a trabalhar como Embaixador da Oração. O serviço às vezes era um pouco complicado, desse modo, quanto mais Will compreendesse a idiossincrasia dos humanos, melhor agiria quando Gabriel lhe passasse uma tarefa.

Mercy estava certa de que, sob sua tutela, Will se sairia bem como Embaixador da Oração um dia. Ele era jovem e entusiasmado, ávido para aprender não só sobre a Terra, mas também sobre o papel que ele desempenharia.

Como Mercy, rotulada erroneamente de encrenqueira, havia apontado, a tarefa deles requeria muita dedicação, e ela não estava sozinha nessa crença. Goodness — ó, pobre Goodness — adquirira certa reputação também, e Mercy sentia-se parcialmente culpada, mas isso era outra história. Shirley procurava com mais empenho fazer as coisas de modo correto e tinha trabalhado arduamente para corrigir suas amigas. De fato, Shirley, uma antiga Anjo da Guarda, fizera um trabalho tão maravilhoso que Gabriel lhes proporcionara a chance de treinar o promissor e jovem anjo, que no momento estava com elas.

Naturalmente, ficou subentendido que, se as três aceitassem a atribuição de treinar Will, então, é óbvio, não haveria trapaça, truques ou qualquer coisa do tipo. Todas haviam concordado. Essa era, de fato, uma grande honra, e as três tinham boas intenções.

Agora, lá estavam elas, passando o reveillón na Times Square, em uma das cidades mais incríveis da Terra. Mercy respirou fundo, apreciando o momento. Levar Will até ali fora um bom pretexto, mas, na verdade, ela sentia saudade de visitar a Terra, sobretudo do alvoroço da cidade grande; afinal, já havia passado um bom tempo desde a última atribuição do grupo.

— A Terra não é maravilhosa? — comentou Goodness, com suas enormes asas batendo de alegria. — Olhem só para todas essas luzes de néon. Eu sempre gostei particularmente da luz.

— Como todas nós — Shirley a relembrou.

— Podemos descer até lá e ficar com as pessoas? — perguntou Will.

— Mas é claro que não — protestou imediatamente Shirley, em alto e bom som.

— Não vejo mal algum nisso — Goodness reagiu, com o olhar ainda fixo nas luzes brilhantes da cidade lá embaixo.

Will desviou o olhar de um anjo para o outro.

— Como ele aprenderá sobre humanos se não tem a oportunidade de se misturar a eles? — perguntou Mercy, apoiando sua amiga mais estimada. Shirley era tão apegada às regras! Certo, elas haviam originariamente prometido não chegar perto dos humanos, mas fazê-lo seria um bom aprendizado para Will.

— Como ele aprenderá algum dia a trabalhar como Embaixador da Oração se não se familiarizar com os humanos? — protestou Goodness.

Shirley hesitou. Mercy percebia que, embora a amiga fosse dogmática em uma série de assuntos, também era facilmente influenciável, o que tornava muito bom trabalhar com ela.

— Bem...

— Nós ouvimos as orações dos humanos? — indagou Will.

— Ah, não — Shirley explicou. — Apenas Deus ouve as orações deles, daí Ele fala sobre os assuntos com Gabriel e depois...

— Depois Gabriel repassa os pedidos para nós.

— E nós ajudamos a responder-lhes.

— Um de nossos papéis é auxiliar humanos a perceberem o quanto eles podem fazer por si próprios com a ajuda de Deus — Goodness esclareceu.

— Nós tentamos fazer o melhor sem *interferir* na vida deles — Shirley complementou rapidamente, fitando com um olhar de aviso Goodness e Mercy, o que esta percebeu de imediato como um aviso.

— Mas primeiro, e isto é o mais importante — Goodness enfatizou —, devemos ensinar a esses humanos uma lição. Então, e somente então, seremos capazes de ajudá-los com seus problemas. A dificuldade verdadeira surge quando eles não querem aprender — Goodness balançou a cabeça porque o trabalho tinha um aspecto, em geral, desafiador. — Algumas pessoas parecem querer que Deus intervenha e atenda a seus pedidos sem que contribuam para isso.

— As coisas não funcionam assim — disse Mercy, embora ela tivesse aprontado das suas para ajudar pobres almas desajuizadas. Em teoria, responder às orações não soava nada difícil. Infelizmente, os humanos eram completamente estúpidos.

— Eles podem ser tão teimosos — Goodness disse, voltando a balançar a cabeça.

— Determinados — concordou Shirley.

— Ah, sim, e uma vez... — Mercy fechou a boca com um estalo. Era melhor não revelar ao jovem protegido as travessuras passadas por medo de que, conhecendo-as, ele pensasse que talvez devesse seguir os passos delas. Gabriel faria objeção a isso.

— Uma vez...? — Will a pressionou. — O que aconteceu?

— Deixa pra lá — Shirley disse, contornando a situação. — É melhor deixar algumas coisas de lado e não discuti-las.

— Posso descer e ficar no meio da multidão? — voltou a perguntar Will. — Não direi nada para Gabriel.

— Ele não é o único — Shirley deixou escapar. — Digo, nós não deveríamos balbuciar uma palavra sequer sobre isso com ninguém no céu.

— Ou na Terra — Goodness relembrou a todos.

— Não podemos falar com os humanos? — Will franziu a testa, como se estivesse confuso.

— Nós podemos, mas apenas...

— Mas, definitivamente, não esta noite — Shirley disse tão rápido que sua voz se elevou uma oitava inteira.

Mercy pegou a mão de Will.

— Houve tempos, ao longo dos dois últimos milênios, em que falávamos diretamente com os humanos.

— No entanto, essas ocasiões foram raras.

— Sim, muito raras.

— Mas não tão raras quanto deveriam ter sido — Shirley achou necessário acrescentar. Ela cruzou os braços sobre o peito e parecia em dúvida sobre a melhor forma de lidar com essa sessão de treinamento.

— Não acho que faria mal a Will descer até a multidão — Goodness voltou a dizer. — É uma noite muito especial aqui na Terra.

— E eu prometi não dizer nada para ninguém, humano ou não — Will reafirmou.

Era difícil recusar o pedido do aprendiz sendo que a própria Mercy estava se coçando para se misturar a eles. Já fazia um bom tempo que ela visitara a Terra, e os humanos há muito a fascinavam.

— Vamos descer — Goodness esfregou as palmas juntas, tão ávida quanto Mercy.

— Eu... não sei.

Mercy ignorou a antiga Anjo da Guarda.

— Eu vou nessa. Will... — ela gritou — siga-me e fique perto de mim. Faça o que eu fizer — pediu, indo em direção a Times Square com Will de um lado e Goodness do outro.

— Não, não... Isso pode ser um erro — Shirley gritou antes de sair em disparada para alcançá-los. — Faça o que EU fizer — acrescentou.

Os quatro aterrissaram atrás de uma barreira de concreto contra a qual várias pessoas se empurravam. Os policiais estavam do outro lado, patrulhando a multidão em busca de qualquer sinal de desordem.

— Eles conseguem nos ouvir? — Will sussurrou.

— Apenas aqueles com ouvidos espirituais em sintonia com Deus — Shirley respondeu. — E mesmo assim eles duvidarão de si próprios.

— Ninguém está ouvindo agora — Mercy tinha certeza de que a multidão estava muito empolgada com a festividade para notar a presença deles, o que era melhor para todos.

— Por que eles estão encapotados com casacos, cachecóis e luvas? — Will perguntou, olhando ao redor.

— É inverno.

— Ah.

— Todos estão olhando para o relógio gigante — Will observou.

— Sim, faltam apenas alguns minutos para a chegada do ano novo.

— E isso é importante?

— Ah, sim. Daqui a dois minutos este ano acabará, dando início a um novo ano. — Esse seria um conceito difícil para Will entender. Todos os jovens protegidos que elas conheciam vinham do céu, onde não existiam relógios ou calendários. Lá, o tempo nada significava; passado, presente e futuro eram a mesma coisa.

As restrições do tempo sempre foram problemáticas para Mercy. Gabriel geralmente dava a elas um limite de tempo para ajudar os humanos com seus pedidos de orações, mas resolver algumas situações dentro de um limite de tempo tão reduzido parecia impossível. Ainda que, em função de suas muitas experiências, Mercy tivesse aprendido que, com Deus, tudo é possível. Essa fora uma poderosa lição que ela esperava repassar para Will quando surgisse a oportunidade.

— Por que as ruas são pretas? — indagou Will, olhando na direção dos pés.

— Aqui elas não são de ouro.

— É asfalto. A Terra não é nada parecida com o céu — Mercy explicou. Se Will ficasse muito mais tempo na Terra, outras diferenças logo se revelariam.

— Onde está Shirley? — Goodness rodopiou de forma tão rápida que provocou a formação de um pequeno redemoinho. As pessoas agarraram os chapéus. Papéis voaram em todas as direções. — Perdemos Shirley.

— Não, não perdemos — para o bem de Will, Mercy assegurava-se de que tudo permanecesse tranquilo. — Tenho certeza de que ela está por perto.

— Ela não está.

— Ah, não — Will lamentou. — Shirley desapareceu.

— Ela tem que estar por aqui — a própria Mercy estava começando a ficar fora de si, o que não era bom. Shirley, o anjo mais velho das três, costumava se afastar, mas desaparecer desse jeito não era um tipo de atitude comum. Do grupo, Shirley era de longe a mais responsável.

— Procurem por crianças — Mercy instruiu Goodness e Will, pois Shirley costumava ser atraída pelos pequenos, resultado de todos os anos que ela tinha passado como Anjo da Guarda.

Mercy olhou a multidão por cima e elevou-se um pouco para espiar o que ocorria embaixo, na esperança de um vislumbre da amiga. Goodness juntou-se a ela.

— Consegue vê-la?

— Você consegue?

— Não.

Mercy continuou observando e, quando ela se virou para falar com Goodness, sua amiga também sumira. O pânico começava a se instalar.

— Will — ela gritou, temendo ter perdido totalmente o controle da situação.

— Estou aqui.

Graças aos céus.

— Você consegue ver a Goodness?

— E a Shirley?

Comparada a Goodness, Shirley não representava motivo algum para preocupação. Se a sua companheira Embaixadora da Oração escapasse, seria impossível mensurar o tamanho da encrenca que ela enfrentaria. E Goodness poderia fazer isso sem sequer tentar.

— Aquela ali é a Goodness, próxima àquelas pessoas na arquibancada? — perguntou Will.

Arquibancada? Que arquibancada? Mercy vistoriou a área até enxergar a direção indicada por Will. Era exatamente o que ela temia: Goodness fora distraída pela equipe de TV que estava ocupada mexendo nas câmeras. E tudo por causa de todas aquelas luzes; Goodness não conseguia resistir a elas.

Mercy chegou na hora certa. Goodness também tinha uma fraqueza por qualquer coisa eletrônica além das luzes. Como tudo no céu era avançado, sua colega fascinava-se pelas formas primitivas de comunicação ainda bastante utilizadas na Terra.

— Goodness — Mercy berrou. — Não faça isso.

Perplexa, Goodness desapareceu da tela gigantesca, mas não sem antes sua imagem fantasmagórica brevemente piscar na superfície da tela. Um silêncio recaiu sobre a multidão.

— Você viu aquilo? — alguém gritou e apontou para a tela.

— Parecia um anjo.

— É um sinal de Deus.

Mercy resmungou. A situação era pior do que ela havia imaginado. Se Gabriel ficasse sabendo do ocorrido, o grupo todo poderia ser banido da Terra para sempre.

— Eu sabia que algo do tipo estava prestes a acontecer — Shirley apareceu inesperadamente, com as mãos na cintura, o rosto desfigurado com um olhar de indignação justificada.

— Nós estávamos procurando você — Mercy a advertiu antes que Shirley pudesse reclamar. — Aonde você foi?

— Eu estava por perto.

— Goodness — Shirley agarrou a Embaixadora da Oração bem antes de ela fazer outra aparição na grande tela.

— Ela não consegue se conter — disse Mercy, sentindo-se na obrigação de defender sua amiga mais querida.

— Onde está Will?

Como era de se esperar, não conseguiam localizar Will.

— Eu o encontrarei. — Mas, antes, Mercy tinha que tomar conta de Goodness.

— Eu sei, eu sei — Shirley comentou, segurando Goodness pela segunda vez. — Eu a levarei de volta para o céu. E você procura o Will.

— Onde você estava? — Mercy quis saber, disposta a não permitir que Shirley voltasse sem dar uma explicação.

— Desculpe-me; vi uma criança pequena irritada. A mãe fazia de tudo para tranquilizá-la, mas quase sem resultado algum, então eu lhe dei uma mãozinha. O garotinho está dormindo profundamente.

— Graças a você.

— Aprendi uma série de canções de ninar na minha época.

Certamente Shirley aprendera.

— Eu me juntarei a vocês assim que puder — falou Mercy após ver Will de relance, pelo canto de seu olho. Como suspeitava, ele voltara para a rua. A multidão começava a contagem regressiva, e então um grito alto, jovial, surgiu enquanto a grande massa da população dava as boas-vindas ao ano novo.

— Feliz Ano-novo! — Shirley gritou enquanto escoltava Goodness para casa.

— Feliz Ano-novo! — Mercy ecoou. Agora só lhe restava pegar Will antes que ele se encrencasse.

Ah, não... Ah, não. Parecia que ela havia chegado tarde demais.

Os humanos a rodearam, abraçando-se e beijando-se, e lá estava Will, de pé ao lado de duas pessoas completamente sozinhas, de costas uma para a outra.

Mercy percebeu o que estava prestes a acontecer e sentiu-se sem forças para evitar. Com um único movimento de asa, Will fez com que esses dois estranhos tropeçassem um no outro.

Capítulo 2

Lucie Ferrara sabia que seria um erro ir até a Times Square na véspera de Ano-novo. Ela preferia ficar enrolada nas cobertas, na cama, com um bom livro.

No que ela andava pensando?

Em vez de se permitir uma boa leitura, Lucie deixara Jazmine e Catherine persuadirem-na a acompanhá-las até o alvoroço do reveillón. A própria mãe de Lucie se juntou às meninas contra a filha, insistindo que ela já havia trabalhado demais e, portanto, precisava sair de casa e aproveitar o momento com as amigas.

E até que foi divertido. Jazmine e Catherine tinham sumido, e Lucie estava presa no meio da enorme massa humana, incapaz de se mexer. Pessoas a pressionavam por todos os lados, e tudo o que ela queria era escapar dali. De onde estava, via a estação do metrô; se pudesse ao menos seguir naquela direção...

De repente, a multidão começou a gritar. Uma cacofonia de barulho irrompeu ao redor de Lucie como uma animada vibração e o "Auld Lang Syne"[2] estourou pelo ar da noite fria.

[2] N.T.: " Velhos Tempos", tradicional canção inglesa típica de Ano-Novo.

Sentiu-se ainda mais sozinha ao ver todos os casais ao redor se abraçando ou se beijando. Todos pareciam pertencer a alguém. Todos, com exceção de Lucie.

Incapaz de assistir à cena e ficar alheia a ela, Lucie fechou os olhos. Sua mãe queria que se divertisse com as amigas. Afinal, já fazia semanas desde a última vez que Lucie tinha saído e precisava de uma noite livre, como Wendy havia delicadamente lhe lembrado. Apenas trabalho e nenhuma diversão a fariam perder o foco.

Sua mãe estava certa. Lucie precisava mesmo de um descanso, pois provavelmente trabalhara demais. Dirigir um restaurante não era simples. Havia decisões a serem tomadas, bem como o dever de honrar compromissos. Elas tinham encontrado um local no Brooklyn, não muito distante do apartamento em que viviam. Embora o espaço fosse perfeito para o que pretendiam, era necessário reformá-lo, e as licenças levavam tempo, dinheiro e esforço.

Além disso, Lucie tinha uma responsabilidade para com sua mãe, que investira todo o dinheiro do seguro de vida recebido após a morte do pai de Lucie, e, assim, o restaurante precisaria tornar-se um sucesso. Portanto, a fé que Wendy depositava na filha era tanto uma bênção quanto uma maldição. Se Lucie fracassasse, nunca seria capaz de se perdoar.

De repente, Lucie levou um chacoalhão por trás, fazendo-a tropeçar para a frente.

— Ah, desculpe-me.

— Desculpe.

Após o pedido de desculpas, os olhos dela brilharam quando olhou fixamente para o rosto do homem cuja aparência era a mais incrível que ela já vira fora de uma tela de cinema. Mais alto do que ela uns bons quinze centímetros, tinha olhos castanhos absolutamente meigos. Um tufo de cabelos castanho-escuros caiu sobre a larga testa dele.

—Você está bem? — ele perguntou. — A multidão...

— Eu sei, é louco. Não se preocupe, estou bem.

As mãos dele apertaram os ombros dela como se fossem segurá-la do tombo. Mas Lucie não caiu, e os dois ficaram um longo tempo apenas olhando um para o outro. Surpreendentemente, ele parecia desacompanhado. Também sozinho na multidão.

— Vamos?

Sem entender muito bem, ela piscou.

Então, após uma breve pausa, ele abaixou a cabeça e pousou os lábios nos dela.

Erguendo-se na ponta dos dedos do pé, Lucie envolveu o pescoço dele com os braços e retribuiu o beijo. Por que não? Era véspera de Ano-novo, e beijar continuava uma tradição.

O beijo durou até o final da música, e Lucie o aproveitou imensamente. A terra não se moveu, o céu não caiu, mas o contato entre ambos foi quente, macio e, acima de tudo, agradável. Muito agradável. Ela quase resmungou em protesto quando seus lábios se separaram.

Ele sorriu para ela.

Lucie sorriu de volta.

— Sou Aren Fairchild.

— Lucie Ferrara.

A multidão começou a dispersar. As pessoas antes ali em pé, tão próximas umas das outras, estavam partindo. De repente, parecia que todas precisavam ir para outro lugar.

Lucie e Aren permaneceram em pé, imóveis, no mesmo local. Ele continuou a segurar os ombros dela.

— Acabei me perdendo da minha irmã — explicou.

— E eu não faço a menor ideia do que aconteceu com Jazmine e Catherine.

— Então você está sozinha?

Lucie acenou afirmativamente com a cabeça.

— Eu também. Que tal procurarmos um lugar para tomar uma taça de vinho?

— Eu gostaria. O coração dela palpitou com suave excitação ao ouvir o convite. Talvez, apenas talvez, no final das contas, esta noite não tivesse sido um desastre.

O celular de Lucie vibrou, indicando uma nova mensagem de texto. Vasculhando a bolsa, ela recuperou o aparelho e viu que era de Jasmine.

Onde você está?

Lucie rapidamente respondeu:

Ainda na Times Square.

C e eu estamos indo p/ o metrô.

Amanhã a gente se fala.

OK.

Quando Lucie terminou, percebeu que Aren estava ocupado teclando no celular também. Ele desviou o olhar quando colocou o telefone no bolso do casaco.

— Avisei minha irmã que iria sozinho para casa.

— Eu disse a mesma coisa para as minhas amigas.

Então Aren esticou o braço para pegar na mão dela e lá se foram os dois. Após uma série de tentativas para encontrar espaço em um bar ou adega, acabaram desistindo e contentaram-se com uma lanchonete que ficava aberta a madrugada toda.

A sensação de se sentar foi boa. Lucie retirou o casaco, e Aren desabotoou o sobretudo.

— Desculpe. Não conheço bem esta área, senão saberia de algum local legal para irmos.

— Acho que isso é o de menos — Lucie o animou. — Em uma noite como esta, todos os lugares estão lotados. Tivemos sorte de conseguir uma mesa aqui. — Após falar, ela percebeu que ele deveria ser novo na cidade. — Você não é de Nova York?

— Seattle — ele explicou. Em outras palavras, ele era turista. Bem, provavelmente fosse até melhor, visto que ela não dispunha de tanto tempo para investir em um relacionamento, caso esse, de fato, se tornasse um. Ah não, Lucie estava sonhadora demais.

— Eu me mudei para cá há pouco tempo.

— Ah! — No mesmo instante, o ânimo dela elevou-se, embora as circunstâncias não fossem mudar por um bom tempo.

— E você?

— Eu moro no Brooklyn.

— Ainda não estive lá, mas minha irmã me disse que está se tornando um bom local rapidamente. Preciso encontrar um apartamento logo, e ela sugeriu que eu procure por lá.

— Você irá gostar. — Lucie morara no Brooklyn toda sua vida e fazia parte da comunidade. O apartamento dela e da mãe ficava próximo da Jamison Street. O restaurante, assim que fosse inaugurado, seria relativamente perto e teria o nome de Encantos Divinos, escolhido por ambas.

— O que traz você a Nova York? — ela perguntou.

— Vim a trabalho. Sou escritor e um bom amigo me indicou para uma vaga na *Gazeta de Nova York*.

— A *Gazeta*. Uau! Você deve ser muito bom.

— Eu gostaria de pensar assim, mas só o tempo dirá. E você?

Lucie mal sabia por onde começar.

— Bem, eu me formei recentemente na escola de culinária e, junto com minha mãe, estou trabalhando para abrir um restaurante.

Parecia que Aren estava prestes a dizer algo, mas mudou de ideia:

— Isso dá muito trabalho.

— Nem me diga — ela se conteve para não entrar em detalhes sobre os esforços e as dificuldades, os gastos e os receios. Não era hora para isso.

— Você parece pensativa — Aren comentou.

Lucie sorriu.

— Pouco antes de trombarmos um no outro, eu estava pensando que preferia estar em casa a ficar lá em pé, sozinha, sentindo frio.

Aren riu.

— Engraçado, eu pensava na mesma coisa. Apenas concordei em ir porque não queria deixar minha irmã virar o ano sozinha. Ela terminou um relacionamento há pouco tempo e está sendo complicado. Na verdade, eu estava pensando se encontraria o caminho de volta para o apartamento da minha irmã.

— Você está perdido?

— Não exatamente — ele disse, olhando-a um pouco constrangido. — Entender as direções aqui está me deixando louco e testando a minha inteligência. O que vocês querem dizer com Cinquenta e Três, entre a Sexta e a Sétima, sendo que o endereço é completamente diferente, como Madison Avenue, número doze? Eu costumava pensar que tinha um bom senso de direção. Mas não mais.

Agora era a vez de Lucie rir dele.

— Não se preocupe, você logo irá entender.

— Espero que sim.

A estressada garçonete aproximou-se da mesa e entregou-lhes os cardápios.

— Café?

— Por favor — Lucie respondeu, ciente de que precisaria da bebida se pretendesse ficar acordada por muito mais tempo, e, honestamente, ela esperava ficar. Seu dia começara às quatro da manhã, quando se reuniu com fornecedores e lidou com o que parecia uma dezena de problemas que precisariam ser resolvidos naquele dia.

Aren endireitou sua caneca de café e olhou para o cardápio.

— Eu não costumo comer tão tarde assim, mas Josie insistiu que procurássemos algo na rua mesmo.

Josie deveria ser a irmã dele.

— E você acabou nem comendo.

— Na verdade passei metade da noite em uma busca frenética pela minha irmã. Afinal, ficamos separados por horas seguidas.

O mesmo acontecera com Lucie e suas duas amigas. Os policiais as tinham conduzido para uma área cercada, mas a multidão ainda parecia afastá-la das amigas. Ela poderia ter sido um pouco mais agressiva, mas essa simplesmente não era sua natureza. E sentia-se nervosa por sair do local onde estava porque sabia que os policiais não a deixariam voltar para lá.

— O que você espera para o ano novo? — Aren perguntou-lhe após tomar um gole do café.

— Ai, tanta coisa. — Lucie endireitou o corpo e falou sem parar por uns bons dez minutos, até perceber que tinha dominado completamente a conversa. Mais do que um pouco constrangida, ela balançou a cabeça. — Chega, já falei demais sobre mim. O que você espera para o ano novo?

— Não, não, continue — ele insistiu, antes de acrescentar: — Na verdade, há algo importante que estou esperando ouvir.

— E o que seria?

O sorriso de Aren foi caloroso.

— E quanto aos homens na sua vida?

Lucie encolheu os ombros.

— No momento, há apenas um.

— Então há alguém importante na sua vida?

— Ele é um pouco possessivo também.

O sorriso de Aren desvaneceu.

— Sério? Conte-me sobre ele.

— Chama-se Sammy, e estamos juntos há cinco anos. Na verdade, Sammy me permite até dormir com ele.

— Perdão? — Aren colocou o cardápio de lado e franziu a testa.

— Sammy é um cachorro vira-lata de 5 quilos e meio que eu e minha mãe adotamos. Ele permite mesmo que eu durma com ele, além de deixar bem claro que estou ali apenas por sua generosidade.

Aren riu.

— Em outras palavras, atualmente você não está envolvida com ninguém... humano.

— Isso — Lucie estremeceu com a pergunta dele. — E você? Mulheres em sua vida?

Aren suspirou profundamente.

— Estou divorciado há dois anos — e olhou para baixo na direção de seu café.

Lucie observava enquanto tristeza e decepção afundavam os ombros de Aren.

— Katie e eu fomos casados por cinco anos. Mas ela se apaixonou por outra pessoa — ele disse, como se a dor ainda persistisse.

— Filhos?

— Não, felizmente evitamos essa complicação. Eu queria constituir uma família, mas Katie vivia inventando desculpas. Olhando para o passado, sou muito agradecido.

— Você teve muitos encontros desde então?

— Pouquíssimos. Mas, voltando a você, pois quero deixar isso bem claro entre nós: não está envolvida com um homem ou atualmente casada, certo? — ele levantou a questão como se temesse uma repetição dos erros do passado. — Sabe, Katie me abandonou por um homem com quem ela já se envolvera antes.

— Ah, não há motivo para preocupação.

Agora, ele franziu a testa.

— Por que não? Você é maravilhosa.

Ela enrubesceu com o elogio.

— Não tenho pressa. Primeiro porque eu cursava a escola de culinária e trabalhava meio período para pagar a mensalidade. E agora, bem, agora eu e minha mãe estamos nos esforçando para colocar nosso restaurante em funcionamento. Simplesmente parece não haver horas suficientes em um dia para tudo o que preciso fazer, e menos ainda para um pouco de vida social.

A garçonete retornou à mesa para anotar os pedidos, e cada um escolheu algo para um café da manhã leve. A conversa não demorou muito.

Os pratos tinham sido retirados há muito tempo, e Lucie e Aren haviam bebido duas ou três xícaras a mais de café antes de ela olhar para o relógio e notar a hora.

— Meu Deus, já são quase 4 horas — ofegando, apoiou a mão no peito. As horas tinham simplesmente evaporado. Lucie achou chocante eles ficarem ali sentados a noite toda, compartilhando um momento tão agradável, por três horas e meia. Com um sentimento de pânico, alcançou a bolsa e deslizou do estofado. — Tenho que trabalhar hoje. — Ela não podia acreditar que o tempo passara tão rápido. Mas tinha tido sorte de ainda dispor de três horas para dormir antes de trabalhar em um turno de doze horas. A mãe a incentivara a tirar folga no dia primeiro, mas Lucie sabia que não poderia recusar as horas extras. Não quando o restaurante pagava 75% pela hora trabalhada no feriado. O dinheiro lhes seria útil.

Nesse momento, cada centavo contava. Elas queriam abrir o Encantos Divinos no dia 1º de março, mas, ao ver quanto tempo todo o processo de abertura estava levando, Lucie precisou aceitar que a estimativa era otimista.

Aren segurou a mão dela.

— Deixe-me levá-la até o metrô.

— Certo. — Ela não queria ir embora, mas não lhe restava outra opção. De qualquer maneira, Lucie já estava acordada há pelo menos vinte e quatro horas. — Eu não queria sair com pressa, mas...

— Tudo bem, eu compreendo.

— Ah, Aren, não consigo me lembrar de ter passado um momento tão bom como este. É tão fácil conversar com você. — Afinal, por uma boa parte da noite, Lucie compartilhara com ele coisas que não havia contado a colegas de trabalho e amigos. Os olhos dela se encheram de lágrimas quando falou sobre o pai, falecido há um ano e meio em decorrência de complicações no que deveria ter sido uma cirurgia de rotina.

O irmão de Lucie, que morava e trabalhava no Texas, tinha uma família jovem, então eram apenas ela e sua mãe. E Wendy tinha problemas de saúde. Diabética tipo 1, a mãe de Lucie precisava controlar cuidadosamente sua dieta e as dosagens de insulina.

Aren recolheu o sobretudo.

— Eu estava pensando agora mesmo no quanto você é interessante e divertida.

Ele já tinha pagado a conta, e os dois estavam liberados para partir.

— Eu gostaria de vê-la outra vez — ele disse enquanto desciam a calçada em direção à estação de metrô.

— Eu também gostaria, mas...

— Mas — ele repetiu, terminando o pensamento dela — você não sabe se é possível envolver-se em um relacionamento bem agora.

— Sim. — Lucie sentia-se grata por ele formular em palavras o pensamento dela.

— Eu compreendo, mas nós dois acabamos de falar como foi bom este momento juntos. Eu não acho que deveríamos simplesmente desistir um do outro. O mínimo que podemos fazer é nos conhecer um pouco mais. Não posso falar por você, porém esta é a primeira vez em dois anos que me senti eu mesmo. Estou recomeçando a vida, conheci uma pessoa maravilhosa e não quero que isso acabe após uma noite — os passos dele diminuíram o ritmo para acompanhar os dela enquanto continuavam a caminhar. — Segundo a minha irmã, sou um bom rapaz e...

— Você é um bom rapaz.

— E acontece que eu acho você uma pessoa maravilhosa. Então, o que me diz? — Eles chegaram à parte de fora da estação de metrô e Lucie hesitou. — Posso beijá-la outra vez? — Aren perguntou. — Talvez isso a convença.

— Sim, por favor. — Lucie inclinou-se e automaticamente deslizou os braços ao redor do pescoço de Aren.

O primeiro beijo fora agradável. O segundo, após se conhecerem um pouco mais, foi muito, mas muito melhor. Dessa vez, ela ouviu música, mas era o som de um coração feliz.

Assim que se separaram, Lucie percebeu que não queria abandonar esse relacionamento tão novo.

Aren fixou o olhar no dela, à espera de uma resposta. Em seguida, apoiando a testa na dela, sugeriu:

— Só lhe digo uma coisa.

— O quê?

— Em vez de se afastar, pense com carinho, certo?

— O que você quer dizer com isso?

— Acho que sei no que você está pensando. Estamos com as emoções e a cafeína altas, e um pouco mais do que exaustos. — E ela tivera a mesma impressão. — Tire uma semana para pensar.

— Uma semana — ela repetiu.

— Se você resolver que vale a pena explorar este sentimento, então nos encontraremos novamente no dia 7 de janeiro, às quatro da tarde.

— Sete de janeiro, às quatro da tarde — ela repetiu.

— Sete dias — ele enfatizou — para refletir sobre isso com calma.

No momento, todo esse período parecia tempo demais para esperar. Lucie, invadida por emoções, sentia-se pronta para decidir naquela mesma hora. Ainda assim, uma grande responsabilidade recaía-lhe em relação ao restaurante. Agora não era hora de se envolver com alguém, mesmo que fosse um homem maravilhoso como Aren.

— Onde você propõe que nos encontremos? — Lucie perguntou. — Outra vez no restaurante?

— Não — ele respondeu, percorrendo o dedo pela lateral do rosto dela. — Admito que sou um pouco romântico. Vamos nos encontrar no topo do Empire State Building.

— Por que lá? — ela perguntou, sorrindo com a sugestão.

— Porque é o lugar onde eu gostaria de beijá-la novamente.

— Certo — concordou —, mas saiba que... talvez eu não apareça. Odeio pensar em você ali me esperando naquele frio.

— Então não me deixe esperando.

— Ah, Aren, eu não sei...

— Agora você não sabe mesmo. Reflita em uma semana, certo?

— Tudo bem.

Aren desceu os degraus até o metrô e esperou com Lucie até a chegada do trem. Ela entrou no vagão e automaticamente se dirigiu à janela, pressionando a mão contra o vidro. Do outro lado, Aren fez o mesmo, com o vidro separando ambas as mãos. Quando o trem começou a se deslocar, ela mandou-lhe um beijo.

Como ele era sensato! Uma semana daria a Lucie tempo para pensar, tempo para decidir. E como foi romântico da parte dele sugerir o topo do Empire State Building! Mordendo o lábio inferior, ela queria tanto continuar esse relacionamento... Mas o momento era totalmente inadequado. Será que ela teria uma oportunidade dessa outra vez? Essa era uma pergunta que ela temia responder.

Capítulo 3

Os olhos de Lucie ardiam enquanto ela se vestia apressadamente para o trabalho após dormir menos de três horas. Embora estivesse se arrastando, emocionalmente se sentia vibrando, sem um único arrependimento. Seu passeio até a cidade fora incrível. Conhecer Aren tinha aberto o coração de Lucie a várias possibilidades. Eles entraram em tal sintonia que parecia terem crescido juntos, redescobrindo uma profunda ligação mútua após uma longa separação.

Antes de o pai dela falecer, e antes de Lucie ter iniciado o curso de culinária, ela namorava com certa frequência. No entanto, com outros homens, sempre houvera aquele estranho período de "se conhecer", marcado por longas pausas no diálogo enquanto se esforçavam para descobrir alguma afinidade. Com Aren não foi assim. Ele se mostrara tão interessante e interessado nela. Ela nunca tinha conhecido um homem que não gostasse de falar apenas sobre si próprio, dominando a conversa, procurando causar uma boa impressão. Aren, ao contrário, mostrou-se tão confortável consigo mesmo que não pareceu sentir a necessidade de tagarelar sobre sua carreira ou seus amigos influentes. Desde o primeiro momento ambos perceberam estar mutuamente conectados, tornando a decisão de Lucie ainda mais difícil. Como ela poderia desistir desse relacionamento promissor? Em função de viver tão sem tempo, como poderia manter um relacionamento?

Lucie escovou o cabelo escuro, na altura dos ombros, e em seguida o prendeu para afastá-lo da frente do rosto, empurrando os longos fios atrás das orelhas. Quando estava no restaurante, ela o cobria com uma rede e um chapéu de *chef* de cozinha. E usava o chapéu com orgulho, afinal, trabalhara duro para esse privilégio.

Sua mãe parou na entrada do banheiro de Lucie.

— A que hora você chegou ontem à noite?

— Tarde — Lucie não queria dizer à mãe exatamente a hora em que fora para cama.

— Divertiu-se?

Suspirando, Lucie acenou com a cabeça.

— Eu tive a noite mais incrível da minha vida.

O rosto da mãe alegrou-se.

— Eu sabia que sair lhe faria muito bem. Lucie, eu me preocupo com você e com o quanto trabalha, assim, fico feliz que tenha seguido meu conselho e saído com suas amigas.

— Também estou feliz. Não se preocupe comigo, de verdade, mãe. A situação vai se resolver logo. — Logo que o restaurante fosse inaugurado e estivesse em pleno funcionamento, Lucie conseguiria descansar. Assim ela esperava. Encantos Divinos precisava ser um sucesso. Era o futuro delas, o sonho delas, e Lucie estava determinada a tornar o local bem-sucedido. E sentia-se obrigada a isso, visto que sua mãe investira tanto na empreitada. Wendy confiara à filha todas suas economias e o dinheiro do seguro de vida, e Lucie não podia, e não iria, desapontar a família.

— Você conheceu alguém, não é?

— Mãe!

— Não conheceu? — De forma relutante, Lucie concordou com a cabeça. — Por que esse sigilo? Conte-me sobre ele.

— Mãe, não tenho tempo. Já estou atrasada.

Sua mãe continuou a insistir:

— Bem, pelo menos me conte como vocês se conheceram.

Lucie não conseguiu conter o sorriso, mesmo tentando.

— Nós nos conhecemos na Times Square, à meia-noite, e Aren me beijou.

Os olhos de Wendy arregalaram-se.

— Bem, é claro. Foi dessa forma que eu conheci todos os homens da minha vida — a mãe brincou.

— Eu me perdi de Jazmine e Catherine no meio da multidão, e estava ali de pé, sozinha, enquanto todas as pessoas entoavam cantos de Ano-novo, abraçando-se e beijando-se. Aren e eu trombamos um no outro e, antes que eu percebesse, também nos beijávamos.

Os ombros de sua mãe ergueram-se com um profundo suspiro.

— Esta é provavelmente a coisa mais romântica que já ouvi.

Lucie terminou de se maquiar, deu uma última olhada no espelho e resolveu que estava com uma aparência boa o suficiente. Assim que terminasse o trabalho naquele dia, ela faria uma refeição leve e iria direto para a cama. Trabalhar na cozinha, com facas e fogo por perto, lhe exigia muita prudência se não dormisse o suficiente.

— Quando você voltará a se encontrar com Aren? — a mãe perguntou-lhe, seguindo Lucie até a cozinha.

— Eu... eu não sei. Ele é novo na cidade e muito ocupado.

— Lucie...

— Sim, mãe? — ela disse, forçando um tom leve à voz.

Sua mãe a encarou, com as mãos na cintura.

— Você está escondendo alguma coisa de mim. Eu lhe disse quando era uma garotinha que não precisava ter medo de me contar qualquer coisa. Sou sua mãe.

— E também a melhor mãe do mundo — ela afirmou, beijando Wendy na bochecha.

— Mas... — a mãe protestou.

— Contarei mais depois do trabalho, certo? — Lucie não tinha tempo para prolongar a conversa e, além do mais, não chegara a uma conclusão sobre a quantidade de detalhes que deveria contar à mãe. Durante toda a noite se sentira empolgada, seus sonhos preenchidos por Aren. Ele se mostrara tão certo e confiante de que voltariam a se encontrar. Embora tivesse falado muito pouco sobre seu divórcio, Lucie sabia que ele passara por um período nada fácil. Ainda assim, por ela, estava disposto a pôr de lado seus medos, basicamente lhe pedindo que ignorasse os obstáculos de sua vida e desse uma chance a eles.

Aren era novo na cidade e desejava recomeçar sua vida. E ele queria recomeçá-la namorando Lucie. A mente dela continuou a se agitar com perguntas, dúvidas, desejos e medos. O jornal provavelmente tinha um período de experiência para seus escritores. O encontro deles e a atração imediata que experimentaram foram uma surpresa. Tanto para Aren quanto para Lucie. Nenhum deles esperara tamanha intensidade. No entanto, a época não poderia ser pior.

— Você parece pensativa, querida — a mãe dela disse, interrompendo os pensamentos de Lucie. — Tem certeza de que não há algo que queira me contar agora?

— Tenho — Lucie forçou um sorriso. — Só quero lhe dizer que Aren é simplesmente maravilhoso.

Wendy apertou a mão da filha.

— Está na hora de você encontrar alguém, Lucie. Na sua idade, eu já estava casada e grávida de seu irmão.

— Pare, mãe, você me faz parecer a tia Adele.

— Ela não se casou antes dos 43 anos — Wendy a relembrou.

— Sim, mas a tia Adele viajou o mundo, nadou com arraias, criou duas empresas e se casou quando encontrou o homem sem o qual não conseguia viver. Eu ainda não encontrei esse homem.

— Como você sabe? — a mãe a desafiou. — Ele pode ser Aren. Dê uma chance a ele, Lucie. Já fazia um bom tempo que não via seus olhos brilharem assim ao falar sobre um homem. Eu nem conheci esse tal de Aren e já gosto dele.

Em vez de comentar, Lucie agarrou a bolsa e dirigiu-se até a porta. Sua mãe poderia estar certa, mas ela não tinha tempo para pensar sobre isso naquele momento.

Lucie ficava tão ocupada enquanto trabalhava que as horas passavam numa velocidade incrível. Ao final de seu turno, ela estava tão exausta que mal conseguia pensar logicamente. Ao voltar para casa de metrô, ela quase dormiu sentada. Como já imaginava, sua mãe a esperava com Sammy, que a cumprimentou balançando o rabo com tanto entusiasmo que chacoalhou todo o traseiro.

— Lucie, você está exausta. Ai, querida, eu temia isso.

— Estou bem, mãe.

— Comeu hoje? —Wendy perguntou-lhe.

— Comi — Lucie respondeu, distorcendo os fatos. Ela até fizera um intervalo, mas usara o tempo para descansar os olhos; apenas pouco antes de voltar para a cozinha ela pegara um pãozinho, espalhara bastante manteiga nele e o chamara de almoço.

Lucie sentou-se e conversou com a mãe por vários minutos, dando atenção também a Sammy. Sua mãe insistiu em lhe preparar ovos mexidos. Lucie disse que não precisava, mas Wendy não lhe deu ouvidos; na verdade, Lucie ficou contente com o jantar tardio, com Sammy sentado obedientemente ao seu lado.

Após ela terminar a refeição, Wendy repousou a cabeça no estofado da parte de cima da cadeira e fechou os olhos.

— Conte-me mais sobre esse jovem que você conheceu.

— Mãe, a sua taxa de glicose no sangue está controlada?

— Estou bem. Não se preocupe comigo. Sempre controlo os meus níveis de insulina. Agora me conte sobre Aren.

— Não sei bem o que dizer... Só que ele é divertido, charmoso e inteligente. Depois de a bola descer, nós fomos a um café-restaurante que fica aberto de madrugada e conversamos sem parar por quase quatro horas. Ele é escritor, e deve ser muito bom porque acabou de conseguir emprego na *Gazeta de Nova York*. E tem uma irmã. Está morando com ela até conseguir encontrar um lugar próprio. Ele vive preocupado com ela.

— Ah, é?

— Aparentemente ela terminou um longo relacionamento. Eles estavam noivos, mas algo deu errado e cancelaram o casamento e não estão mais se vendo. Parece que Josie está sofrendo muito por isso.

— Aren parece ser um jovem excepcional.

— Ele é — disso Lucie estava certa.

— Quando você irá vê-lo outra vez? — a mãe insistiu.

— Ainda não resolvemos isso... exatamente — Lucie não queria explicar o que combinaram, pois sabia que sua maravilhosa mãe iria incentivá-la a encontrar Aren no tempo e no local acordados, e não aceitaria um não como resposta.

— Vocês trocaram telefones? — Wendy perguntou.

Lucie balançou negativamente a cabeça e em seguida percebeu que a mãe descansava os olhos.

— Não, não trocamos. — Ela tinha cogitado pedir o número do celular de Aren e estava muito certa de que ele também pediria o dela. Mas isso poderia tornar a decisão ainda mais difícil. Desse modo, não haveria volta e sequer segunda chance. Era 7 de janeiro ou nada. — Ele quer que eu o encontre no dia 7 no topo do Empire State Building — Lucie deixou escapar. No final das contas, a mãe arrancaria a informação dela de uma forma ou de outra.

— Então você deveria ir — abrindo os olhos, a mãe de Lucie franziu a testa como se estivesse confusa.

— O problema, mãe, é que o momento é o mais inadequado — Lucie sussurrou.

— E daí? Se você for esperar até que tudo esteja perfeito, poderá perder Aren, e eu não quero que isso aconteça.

— Eu também não quero. Resolvemos nos dar esta uma semana. Afinal, ficamos acordados quase a noite toda, rodeados de estímulos por toda a parte, mas, como eu disse, a hora não poderia ser pior para mim. Aren está começando em um novo emprego; eu já estou atolada com o restaurante e...

— Meu Deus, Lucie Ann, você ainda não sabe que se apaixonar nunca é inconveniente? Eu conheci o seu pai pouco antes de ele ser enviado para a Guerra do Vietnã. Nós passamos um único dia juntos e depois nos comunicamos por meio de cartas. O seu pai escrevia as cartas mais belas e impressionantes.

Lucie tinha ouvido a história mais de mil vezes e nunca se cansara dela.

— Um ano se passou — ela continuou para a mãe.

— Treze meses. Eu estava no segundo ano da faculdade, e um dia, de repente, o seu pai apareceu no campus.

— Um homem de uniforme não era exatamente a visão mais agradável naquele tempo, sobretudo na universidade.

— Você está sendo generosa.

— Mas você o amava.

— Sim, mas eu vivia com problemas de saúde e não estava totalmente certa de que poderia ter filhos.

— E papai superou cada obstáculo porque ele amava você.

— Ele era determinado, tudo bem — Wendy disse, e os olhos dela brilharam com a lembrança.

— E papai lhe deu um prazo.

— Assim como Aren está fazendo.

— É diferente, mãe.

— Não tão diferente, minha garotinha. Não tão diferente mesmo. Como eu disse, não há um calendário exato para encontrar a pessoa certa. Você não faz 21 anos e imediatamente conhece o homem dos seus sonhos. Acontece quando tem que acontecer.

Lucie conhecia a veracidade disso por meio da própria história de amor dos pais. Seu pai tivera que trabalhar duro para convencer a mãe de que eles deveriam se casar. Wendy resistiu e insistiu que George não sabia no que estava se metendo. Embora as circunstâncias fossem outras, era como se a história se repetisse.

— Prometa-me que você irá encontrar esse jovem.

— Mãe...

— Eu sei o que o seu coração está lhe dizendo, Lucie. Você não me engana, querida. Nunca conseguirá.

Era verdade. Lucie achava impossível enganar a mãe e odiava ser enganada pelos outros.

— Preciso de um tempo. Tenho uma semana inteira para decidir.

Na manhã de 7 de janeiro, Lucie acordou convencida do que queria. Sua mãe a havia influenciado a semana toda, falando com empolgação sobre o aspecto romântico do encontro. De forma repetitiva, ela lembrava a filha do galanteio deslumbrado com o jovem oficial do exército que se tornara o pai de Lucie.

— É esta tarde — Wendy mencionou casualmente durante o café da manhã.

— Sim, mãe, eu sei.

— Diga-me que você decidiu encontrar Aren, pois, se não for, juro que irei até o Empire State Building e eu mesma o encontrarei.

— Mãe.

— Bem, provavelmente eu não farei isso, mas, Lucie, como eu queria que você visse seus olhos brilharem toda vez que o menciona. Eu me sentia assim com seu pai, e, querida, nós tivemos anos maravilhosos juntos. Quero que você encontre essa mesma felicidade.

— Eu sei, mãe...

— Tranquilize-me! Conte-me o que você decidiu.

Lucie tinha tentado se mostrar discreta, mas estava claro que não conseguia.

— Eu estarei lá às 16 horas e Aren estará esperando por mim.

Wendy esfregou as palmas como se fosse impossível de se conter de alegria.

— Você diz ao jovem que desejo conhecê-lo?

— É claro, mãe. Você terá um monte de oportunidades para conhecer Aren. — Lucie adorava o entusiasmo da mãe. — Já acertei tudo para sair mais cedo do trabalho — explicou. — Pegarei o metrô até a cidade.

— Perfeito. Você vai me ligar quando estiver lá, não vai? Eu me recuso a ficar desinformada. Quero saber o que acontecerá quando ele a vir, certo?

— Espere pelo menos alguns minutos para que eu possa cumprimentá-lo. — Lucie ligaria após aquele beijo que Aren lhe prometera. Assim, sentiu dificuldade de conter o sorriso. Afinal, tudo começara com um simples beijo. Bem, na verdade, não fora tão simples assim. As coisas raramente eram.

Lucie nunca foi de ficar enrolando, principalmente no trabalho. No entanto, naquele dia seu olhar ricocheteou várias vezes contra a parede enquanto ela contava as horas passarem. Às três da tarde, uma hora antes do encontro, ela trocou de roupa, renovou a maquiagem e saiu pela porta em direção à estação de metrô. Estava prestes a descer a escadaria quando seu celular tocou.

— Lucie Ferrara? — uma voz feminina perguntou.

— Sim.

— É do Hospital Metodista de Nova York. Estamos com a sua mãe aqui. Ela levou um tombo feio e quebrou o braço. Acredito que terá que passar por cirurgia...

— Ah, não. A minha mãe está bem? Ela é diabética.

— Não se preocupe. A taxa de glicose está estabilizada.

Lucie fez careta ao pensar na mãe com dor.

— Já estou indo até aí — disse Lucie, tentando controlar a sensação de pânico que sentia. Então, parou no topo da escadaria e observou a cidade, com a visão do Empire State Building em segundo plano. Não havia nada a fazer agora. Seria absolutamente impossível ela se encontrar com Aren. A decepção se instalou no fundo de seu estômago. Era intervenção divina. Apesar de sua decisão, ele ficaria ali, esperando por ela... e ela não apareceria.

Lucie estava ao lado da cama de sua mãe quando Wendy acordou após a cirurgia. Ela piscou para a filha e depois franziu a testa.

— Você se encontrou com Aren, não é? — Em vez de responder verbalmente, Lucie balançou a cabeça negando. — Eu pedi para o hospital não ligar para você.

— Mãe, eu precisava vir até aqui pra conversar com os médicos. O que aconteceu? — Mas Lucie já sabia. A taxa de glicose de sua mãe tinha caído outra vez e provocara o tombo. Felizmente ela estava próxima a uma vizinha que na mesma hora ligou para o 911[3].

— Ah, Lucie, me sinto tão mal por você. É tudo culpa minha.

— Mãe, não era para ser.

— Não, não, eu não acredito nisso. Não posso acreditar nisso.

Então, Wendy pressionou os olhos com força e os lábios dela começaram a se mexer.

— O que você está fazendo? — Lucie perguntou-lhe.

[3] N.T.: Número de emergência nos Estados Unidos (no Brasil, equivale ao 190).

— Xiiiu, estou orando.

— Orando para quê? — brincou.

— Por você e Aren. Estou pedindo a Deus para uni-los novamente na hora Dele. E Ele irá fazer isso, você sabe. Confie em mim. Deus realizará meu pedido porque Ele sabe que eu nunca me perdoarei por você perder o encontro com o amor da sua vida por minha causa.

— Isso é muito meigo, mãe, mas acredito que Deus tenha orações mais importantes às quais responder do que a sua.

Wendy zombou.

— Não seja boba. E não se surpreenda se você e Aren se cruzarem nos próximos dias. Anote o que eu digo. Anote aí.

— Sim, mãe. — Embora Lucie concordasse, internamente ela tinha um depósito de reservas de que o Todo-Poderoso Deus realmente se importasse com algo tão secundário. E, ao mesmo tempo, ela nutria esperanças de que Ele se importasse.

Capítulo 4

Dezembro

Onze meses depois

Gabriel abriu o enorme livro de orações e olhou rapidamente para o grande número de solicitações que chegavam a sua mesa de hora em hora. Ele emitia ordens para os Embaixadores da Oração a todo momento. Serviço era o que não faltava no céu.

Eles se aproximavam dos festejos natalinos, o período mais atribulado do ano, o que levava os anjos nomeados como Embaixadores da Oração ao seu limite. A Terra estava agitada nessa época do ano. Os humanos viviam estressados e Gabriel queria ficar o mais adiantado possível.

Ele correu o dedo pela longa lista e pausou ao encontrar uma solicitação não respondida, que já estava lá há quase 11 meses, de uma nova-iorquina chamada Wendy Ferrara. Então franziu a testa e, em seguida, bateu o pé. Algo o atormentava, uma sensação torturante com a qual ele não fora capaz de deixar de se preocupar.

Ah, Gabriel se lembrou dessa oração. Ao recebê-la, ordenara uma investigação. Assim que o relatório foi devolvido, ele o leu, resmungou e então o deixou de lado até que pudesse decidir qual a melhor forma de lidar com essa difícil situação. Aparentemente, seus três anjos favoritos tinham resolvido o assunto por sua conta e risco. E, para piorar, haviam levado um jovem aprendiz junto. Gabriel nomeara Shirley, Goodness e Mercy mentoras de Will, e elas fizeram um excelente trabalho. Bem, exceto por uma imprudência. O assunto, bastante delicado, exigia tratamento cuidadoso.

O tempo para lidar com a oração de Wendy Ferrara era agora. Assim, Gabriel convocou as três Embaixadoras da Oração e o aprendiz. Mal enviara a ordem, quando Shirley, Goodness e Mercy apareceram com as asas esvoaçando de empolgação e expectativa.

Assumindo uma pose séria, Gabriel desviou da mesa o olhar. As três eram só sorrisos.

— Você pediu para nos ver — Shirley disse, aparentando serenidade e nobreza. Esses anjos eram criaturas magníficas. Uns dos trabalhos mais belos de Deus, junto com os Anjos Guerreiros e, naturalmente, com os humanos, criados à própria imagem de Deus.

— Eu sei por que você nos mandou buscar — Goodness gabou-se.

Gabriel arqueou as grossas e brancas sobrancelhas.

— Você sabe?

— Você está pronto para nos dar uma tarefa na Terra.

Mercy acenou com a cabeça avidamente.

— Você já notou a escassez de Embaixadores da Oração e está pensando em nos colocar novamente em ação. Nossos métodos podem não ser convencionais, mas atendemos às orações.

Gabriel não respondeu, mostrando-lhes que virava a página do livro de orações.

— Na verdade, isso tem a ver com...

— Desculpe, eu me atrasei. Eu estava... — Will surgiu e, ao ver Gabriel com suas três mentoras, parou de falar.

— Estou contente que você conseguiu se juntar a nós — disse Gabriel com um quê de sarcasmo. Ele gostava bastante do rapaz e sentia que Will serviria bem a Deus assim que fosse adequadamente treinado.

— Estou contente também. — Will endireitou-se para prestar atenção, dobrando as asas de forma apertada contra o corpo, com as costas eretas e o olhar respeitoso.

Gabriel andou em volta de sua mesa e entrelaçou as mãos.

— Chegou ao meu conhecimento que vocês quatro fizeram uma visita imprevista à Terra no último mês de janeiro.

— Véspera de Ano-novo, para ser precisa — Shirley complementou e ergueu o dedo indicador. — Eu quero que se registre que fui contra a ideia desde o início. Não queria fazer parte desse esquema, e...

— Mas você se juntou a eles — interrompeu-a Gabriel.

— Bem, sim, percebo que a impressão não é das melhores, mas senti que ter alguém sensato acompanhando de perto era absolutamente necessário. Não havia aviso algum de que problemas Goodness e Mercy poderiam enfrentar sem a minha presença lá, zelando por elas.

— Nós não...

Gabriel interrompeu a fala de Goodness.

— Quero saber quem foi o responsável pelo fiasco envolvendo Lucie Ferrara e Aren Fairchild.

Shirley, Goodness e Mercy não puderam evitar olhar para os lados com os lábios comprimidos.

— No caso, fui eu — Will murmurou. Ele também se sentiu desconfortável com o olhar de Gabriel.

— Explique o que aconteceu — Gabriel usou sua voz mais grave.

Will deu um passo para a frente e olhou-o diretamente.

— Para ser justo com minhas mentoras, fui alertado a não me envolver com humanos, mas eu...

— Você quer dizer que se misturou aos humanos?

O lento aceno de cabeça de Will revelou sua relutância.

— Mercy explicou que somente aqueles com olhar espiritual poderiam nos ver.

— E alguém notou você?

— Não.

— Tem certeza? — Gabriel o pressionou.

— Não totalmente, mas, se fui reconhecido, ninguém disse nada a respeito.

Gabriel caminhou ao redor de sua mesa.

— É melhor você me contar tudo. — O olhar dele encontrou o de Mercy, que suspirou e deslocou-se para o lado de Will.

— Eu assumo a responsabilidade. Perdi Shirley de vista e, enquanto a procurava, Will desapareceu.

— Em outras palavras, esse problema é o resultado direto de sua desobediência — Gabriel olhou-a fixamente. Em silêncio, ficou satisfeito por ela se dispor a dar um passo à frente e admitir seu erro, embora ele suspeitasse de que todas as três estavam envolvidas nesse desastre.

Mercy contorceu-se toda desconfortável sob a rigorosa avaliação de Gabriel.

— Eu gostaria de pensar em nossa breve estada na Terra como um exercício de treinamento não planejado.

Gabriel direcionou sua pergunta seguinte a Will.

— E o que você aprendeu, meu jovem?

— Ah... — Will parecia sem palavras e olhou para suas mentoras em busca de ajuda.

— Bem, em primeiro lugar — Shirley disse, tentando ajudar seu protegido —, eu aprendi a não deixar que bebês esquisitos me distraiam.

— E então Goodness sentiu-se atraída por aquelas câmeras de TV e eu tive que distraí-la antes que ela voltasse a aparecer no telão.

— E foi quando o sino soou à meia-noite e todos aqueles humanos começaram a se beijar e a cantar — Will intrometeu-se.

— E... — Gabriel queria a história completa.

— E eu apresentei essas duas pessoas uma para a outra — o anjo aprendiz admitiu, olhando para baixo na direção dos pés.

— Lucie e Aren?

— Eu não peguei os nomes deles.

— Lucie e Aren — Gabriel disse um pouco mais alto.

— Eles se beijaram — Will comentou com empolgação. — Eu os vi.

— E você interferiu no plano de Deus para eles se encontrarem — Gabriel resmungou, balançando a cabeça como se estivesse totalmente desanimado.

— Você quer dizer que era a intenção de Deus eles se conhecerem desde o começo? — Mercy perguntou, com a voz levemente elevada devido à animação.

— Sim, mas o encontro deles não estava marcado para acontecer naquela época e agora está tudo errado.

— Há algo que eu possa fazer para corrigir as coisas? — Will perguntou. — Porque eu posso retornar à Terra como voluntário e fazer o que for necessário para compensar o erro.

Aposto que você faria, pensou Gabriel. Já estava evidente que Will se entusiasmara pela Terra tanto quanto suas mentoras.

— Isto é — continuou Will —, se você estiver disposto a confiar em mim outra vez.

Para seu crédito, o aprendiz aparentava decepção e arrependimento. Gabriel refletiu sobre a questão enquanto esfregava o queixo, pensando se havia uma forma simples de resolver o problema.

— Bem, com algum esforço você talvez consiga desatar esse nó.

— Isso significa que será necessário retornar à Terra? — Goodness perguntou, sem fôlego e cheia de esperanças.

— E naturalmente, como mentoras de Will, nós precisaremos acompanhá-lo — Shirley acrescentou, sugerindo que Will poderia não conseguir lidar com essa difícil situação sem o auxílio delas.

— Bem...

— Com grande sacrifício pessoal, eu sou voluntária a acompanhar Will sem as outras — Mercy ofereceu-se.

Gabriel observou enquanto as duas amigas de Mercy a olhavam fixamente sem disfarçar a indignação. Várias penas se soltaram e flutuaram até o chão, numa clara indicação de que elas estavam perturbadas pela disposição de Mercy em deixá-las para trás.

— Levando em conta que vocês três estavam juntas nisso, sinto que é justo que todas acompanhem Will e endireitem a situação.

— Partiremos neste exato minuto — Shirley sequer disfarçava seu ardor para controlar o projeto.

— Esperem — Gabriel disse, interrompendo-as. — Ocorreu uma série de mudanças.

— Ah.

— A fim de que vocês compreendam a complexidade da situação, precisarão dar uma olhada nas vidas de Lucie e Aren neste momento, depois de todos esses meses.

Ele acenou com os braços e o fino véu que separava a Terra da vista do céu desapareceu. As três Embaixadoras da Oração, ao lado do aprendiz, observaram atentamente através da névoa que se dissipava.

— O que é isso? — Will perguntou.

— É o Encantos Divinos — explicou Gabriel. — Lucie e a mãe abriram o restaurante em abril. Está sendo um sucesso. Lucie é a responsável pelas irresistíveis sobremesas, e o restaurante já provocou certa comoção no Brooklyn, apesar de não haver propaganda impressa. O sucesso delas se deve à divulgação boca a boca. — Ele ficou pensando se algum deles compreendera o trocadilho. Aparentemente não.

— Que maravilhoso.

— Lucie passa várias horas ali. Sua mãe atua como recepcionista. Wendy é cordial e receptiva e faz com que os clientes se sintam como se estivessem em casa.

— Encantos Divinos — Goodness repetiu. — Que nome perfeito para um restaurante.

— Quase todos supõem que o nome vem das maravilhosas sobremesas, que, segundo dizem, são cheias de inspiração — Gabriel explicou.

— Então quer dizer que o nome do restaurante não vem disso?

— Não. — Gabriel sentia-se bastante satisfeito com o fato de o nome ter se baseado em alguém que eles conheciam muito bem. — Na verdade, foi outro anjo, um amigo meu muito estimado, que acabou dando ao local esse nome.

— Que amigo?

— Sei que isso pode surpreendê-los, mas, por incrível que pareça, eu tenho amigos.

— É claro...

— Naturalmente.

— Foi a sra. Milagre — disse Gabriel, abrindo um sorriso. — Por causa de Emily, Lucie acertou um contrato de fornecimento de última hora pouco antes do Natal, há alguns anos. Esse acontecimento foi o responsável pelo pontapé inicial do restaurante.

— E agora o restaurante é uma realidade.

— O que é aquilo no canto? — Will apontou para a vitrine do refrigerador próxima à mesa da recepcionista.

— Aquilo — disse Gabriel — é um mostruário dos doces de Lucie. As sobremesas dela se tornaram tão populares que é difícil conseguir uma reserva para jantar. Wendy, a mãe de Lucie, teve a ideia de vender sobremesas também para viagem. E acabou dando muito certo.

— Quando estava programado para Aren e Lucie se conhecerem... originalmente? — Will quis saber.

— Daqui a alguns dias, no tempo da Terra.

— Como?

— Bem, eles nunca iriam trombar um no outro, se é o que está me perguntando.

Will parecia infeliz ao saber disso.

— Eu gostaria de fazer o que fosse possível para acertar as coisas.

— E eu lhe concederei essa oportunidade.

— Obrigado, Gabriel.

— Sim, obrigada — Shirley, Goodness e Mercy ecoaram.

Gabriel suspirou. Ele esperava não se arrepender dessa decisão.

— Aren Fairchild trabalha para a *Gazeta de Nova York* como crítico gastronômico, e escreve sob o pseudônimo de Eaton Well, um nome pertencente ao jornal.

— Eaton Well — Mercy repetiu. — Inteligente.

— Ele não pode revelar sua identidade por causa de uma cláusula no contrato. O editor da seção "Estilo de Vida" encontra restaurantes promissores para Aren.

— Daí ele faz uma reserva para o jantar, come e escreve uma resenha sem ninguém do restaurante saber quem é o cliente secreto — Mercy disse, pensando em voz alta.

— Exatamente.

Will parecia abatido.

— Eles estavam originalmente programados para se conhecer no restaurante, quando Aren se apaixonaria pela mulher responsável pelas maravilhosas sobremesas.

— Nem tudo na vida ocorre conforme o planejado — Gabriel não queria acabar com o entusiasmo do jovem. O coração dele estava no lugar certo.

— O que está acontecendo agora? — Mercy perguntou, espiando lá embaixo, na cozinha.

— Vamos descobrir — disse Gabriel. Com um movimento de seus braços, a conversa entre Lucie e sua mãe de repente se tornou audível.

— Lucie — Wendy a chamou ao entrar na despensa.

Lucie estava sentada em um engradado de suprimentos recentemente entregues segurando uma cópia da *Gazeta de Nova York*. Assim que ouviu a voz de sua mãe, tentou sem sucesso esconder o jornal.

Wendy parou e seus ombros cederam.

— Ah, Lucie, você está procurando o nome do Aren outra vez, não está?

Lucie não viu motivo algum para esconder o óbvio.

— Não está aqui. No final das contas, ele não deve ter conseguido o emprego.

O sorriso de sua mãe se desfez.

— Odeio ter sido a responsável por vocês não terem se encontrado naquele dia. Mal consigo olhar para o Empire State Building e não pensar naquela oportunidade perdida.

— Mãe, pare. Não era para ser. — Lucie dissera essas palavras para si mesma centenas de vezes e tentou acreditar nelas, embora não conseguisse tirar Aren da cabeça.

— Mas você ainda pensa nele.

Lucie não se incomodou em negar. Ela, de fato, pensava em Aren. Por mais que tentasse esquecê-lo, não funcionava. Continuava imaginando quanto tempo ele a esperara naquele dia. Será que ele tinha ficado no frio, na esperança de que ela chegasse com uma explicação lógica do motivo do atraso? Será que ele se arrependera de não terem trocado os telefones, assim como acontecera com ela? "Se tiver que acontecer, nós nos encontraremos outra vez". Então se lembrou da oração da mãe e também orou.

— Eu vim para dizer que mais uma vez todas as mesas estão reservadas para hoje à noite, e já estamos aceitando pedidos de reserva para o Ano-novo.

— Isso é maravilhoso.

— Gostaria que você tirasse folga na véspera de Ano-novo.

— Mãe, eu não posso. Será uma das noites mais movimentadas da temporada.

— Não se preocupe... Traremos reforço.

— Mãe, não posso. Sei no que você está pensando: quer que eu volte para a Times Square e para a remota possibilidade de encontrar Aren outra vez por acaso. Impossível. Não irei. Não seria mais do que uma tentativa à toa.

— Ah, Lucie, não achei que você pudesse ser tão teimosa.

Lucie riu. Ela não pôde evitar.

— E você acha que eu herdei isso de quem?

— Do seu pai — Wendy teimou, e as duas acabaram rindo juntas.

— Fico contente em ver como o restaurante está indo bem — Shirley comentou.

— Mas coitada da Lucie — Will sussurrou e exalou o ar com força. — Ela nunca se esqueceu de Aren.

— E o que era toda aquela conversa sobre o encontro? — Goodness coçou a lateral da cabeça como se tivesse perdido algo importante.

Gabriel explicou.

— Lucie não apareceu? — Mercy perguntou ansiosamente.

— Não, e Aren esperou o máximo que os guardas permitiram. E ele também voltou uma segunda vez.

— Nossa! Pobre Aren.

— Ele também pensa em Lucie?

Gabriel acenou com a cabeça.

— O tempo todo.

— Só um minuto... Espere aqui. — Mercy começou a andar lentamente no escritório de Gabriel.

— O quê? — Shirley perguntou, analisando a amiga.

— O que estamos esperando? — Goodness desviou o olhar de Mercy para Gabriel. — Temos trabalho a fazer.

Mercy acenou com a mão, e uma asa batia enquanto ela falava:

— Entendi, entendi. Aren é um crítico gastronômico. A linha em que apareceria o nome dele nunca estará no jornal, a fim de manter em segredo sua identidade.

— Sim — Gabriel disse e esperou Mercy completar o pensamento dela.

— E ele foi nomeado para escrever uma resenha sobre o Encantos Divinos, certo?

— Certo.

— E era assim que eles deveriam originariamente ter se encontrado?

Gabriel não disse nada. Queria que eles descobrissem sozinhos.

— E Aren não podia deixar que Lucie soubesse o pseudônimo que ele usa — Shirley os lembrou — por causa do contrato com o jornal.

— Mas ele se apaixonaria pelas sobremesas de Lucie mesmo antes de encontrá-la! — Mercy exclamou com o que parecia a lógica perfeita.

— Agora é o nosso dever garantir que Aren e Lucie se reencontrem — o rosto de Will brilhou de animação. — Nós somos capazes de fazer isso, Gabriel. Deixe tudo conosco.

— Você tem certeza de que está preparado para a tarefa?

— Sem dúvida.

— Então a cumpram, meus amigos. Não deixem de fazê-lo.

— Sem problema — Mercy prometeu.

Antes que ele pudesse lançar-lhes um alerta, os quatro desapareceram. Gabriel abriu um largo sorriso e, em seguida, balançou a cabeça. A ele, só lhe restava recuar e observar os quatro se dirigirem para a Terra.

Que o céu ajudasse a todos.

Literalmente.

Capítulo 5

— Olhe, Aren já está no restaurante — Will sussurrou. Shirley, Goodness e Mercy juntaram-se a ele, e os quatro ficaram observando das luminárias do restaurante Encantos Divinos.

— Aquela é a mãe de Lucie? — Goodness perguntou, olhando a mulher de meia-idade que cumprimentou Aren.

— Qual mulher? Há várias ali.

— Aquela que está conduzindo Aren até a mesa.

— É ela.

— Quem é aquela mulher com Aren?

Will balançou a cabeça.

— Não faço a mínima ideia. Ela não estava com ele na véspera de Ano-novo. Na verdade, eu nunca a vi antes. Algum de vocês já a viu?

Ninguém parecia conhecê-la. Mercy suspirou, agora de preocupação. Talvez Aren tivesse conhecido outra mulher, alguém de quem ele gostasse até mais do que de Lucie. Os dois certamente pareciam íntimos, rindo e brincando um com o outro. Ah, não, isso seria um grave problema. Algo deveria ser feito, e rapidamente.

Will apertou as mãos, também aparentando preocupação.

— Você acha que pode ser tarde demais? Acha que Aren encontrou outra pessoa?

— Pode ser uma colega.

— Ou uma amiga — Shirley sugeriu.

— Xiiiu, vamos ouvir a conversa deles. Talvez ela nos revele o que precisamos saber. — Mercy não compreendeu por que ela tinha que ser a prática do grupo. Os outros eram muito rápidos e, assim, chegavam a conclusões precipitadas.

— As primeiras impressões de um restaurante são importantes — Aren disse, desdobrando o guardanapo de linho e estendendo-o sobre o colo, antes de olhar para a irmã. — Está pensando no quê?

Josie olhou ao redor, aparentemente notando a atmosfera do salão.

— A decoração é simples e discreta. Gosto disso.

— Eu também — Aren concordou. Apelo visual era importante. A experiência de um jantar nunca se baseava apenas na qualidade da comida. — E o que achou da recepcionista? — perguntou em seguida, afinal, haviam jantado juntos várias vezes e ele apreciava a contribuição dela.

Esse jantar era especialmente importante. Ele trabalhava para o jornal há quase um ano e já fizera resenhas de diversos tipos de restaurantes, desde os mais caros até os mais baratos, desde os mais famosos e consagrados até lugares totalmente desconhecidos. Desse modo, sabia que um lugar novo e promissor como o Encantos Divinos proporcionaria uma grande oportunidade tanto para seus leitores como para o próprio restaurante.

Josie sorriu.

— Ela meio que me lembra da tia Lucille, tão receptiva e cordial. — Então, parou e olhou fixamente para o irmão. — Você está franzindo a testa de novo. Ultimamente, sempre que menciono a tia Lucille você faz essa cara engraçada.

— Não faço.

— Faz sim. Sou sua irmã e reconheço uma franzida de testa em você quando a vejo. Está pensando naquela garota que conheceu no Ano-novo outra vez, não está? O nome dela era Lucie.

— Não — a negação dele foi firme. — Além disso, eu lhe pedi que não mencionasse o nome dela outra vez. — Aren fizera a parte dele, dando tempo a Lucie, e aparentemente ela não se interessara. Nada ganho, nada perdido... Ainda que Aren não tivesse conseguido tirá-la da cabeça.

Josie simplesmente balançou a cabeça, notou Aren, indicando que ela achava que não valia a pena brigar por isso. Se eles tivessem que discutir sobre algo, deveria ser sobre Josie e sobre como não se relacionava com Jack. A irmã dele agira bem ao esconder a mágoa, mas Aren não era tolo. Ela estava deprimida e orgulhosa demais para admitir. E ele não compreendia como duas pessoas que se amavam a ponto de quase trocar alianças decidiriam, de repente, dar por encerrado o assunto. Aparentemente, como a época do casamento se aproximava, os dois se acovardaram. Eles tinham discutido e agora a teimosia superara o senso comum.

— Nós vamos ficar batendo boca ou examinar o cardápio? — Josie perguntou, já o abrindo. — O que parece ser bom para você?

— Estou com vontade de comer peixe. — Aren examinou a seção de frutos do mar e a achou diversificada e surpreendente. O linguado

Dover servido com molho à base de manteiga lhe agradou. — Esse molho pode ser complicado e é um bom teste da destreza do *chef*. — Portanto, o prato seria frutos do mar, que tantos restaurantes tendem a cozinhar demais.

— Você ouviu isso? — Will disse triunfante. — A mulher que acompanha Aren é a irmã dele.

— E ele ainda está pensando em Lucie. — O plano iria dar mais certo do que eles haviam imaginado. Mercy já conseguia prever. Ela observou enquanto irmão e irmã brincavam, zombando um do outro, obviamente como irmãos, assim como bons amigos. Após alguns minutos, ela olhou ao redor e descobriu que Will não estava em seu campo de visão.

— Onde está Will? — Shirley perguntou.

— Estou aqui — ele respondeu, retornando de algum destino desconhecido. Mercy sentiu a necessidade de explicar a importância de eles todos ficarem juntos, e, quando terminou, descobriu que Shirley também havia desaparecido.

— E a Shirley, onde está?

— A garçonete é simpática e prestativa — Aren comentou com a irmã. O Encantos Divinos estava se revelando tudo o que prometera. Se a comida fosse tão boa quanto os relatos, ele escreveria uma resenha positiva com prazer. Até então, estava achando a experiência do jantar bem agradável, mas o verdadeiro teste, como em todo restaurante, seria a comida.

Várias pessoas haviam entrado em contato com o jornal sobre esse restaurante promissor que chamara a atenção dos apreciadores de comida do Brooklyn. O número de recomendações fora tão impressionante que o editor o colocara no topo da lista. Mas a experiência de Aren evidenciava que muitos restaurantes altamente elogiados não costumavam corresponder às expectativas. Assim, a função dele era perceber os detalhes que a maioria dos clientes ignorava, semelhante a um cantor a quem fora concedido o dom de um agudo ou grave perfeito. Para um leigo em música, um artista poderia soar fabuloso, mas alguém com um bom ouvido reconheceria na mesma hora uma nota que estivesse só um pouco dissonante. Aren sentia que tinha o "grave ou agudo perfeito" quando o assunto era restaurante e comida.

Até aquele momento, tudo atendera às suas expectativas. O restaurante era limpo. A equipe de funcionários trabalhava com eficiência, sem ser importuna, repetindo os especiais do dia sem recorrer à consulta das anotações. Quando pediram vinho, copos d'água foram prontamente servidos. Alguns minutos após o vinho ser servido, pães recém-assados, ainda aquecidos do forno, foram levados até a mesa. Quase tão logo eles colocaram os cardápios de lado, o garçom aproximou-se para anotar os pedidos. Ah, sim, esse restaurante prometia muito.

Aren e a irmã tomaram um gole do vinho e, no tempo esperado, a refeição chegou. O linguado estava engenhosamente disposto no prato com pequenos montes de purê de batata em redemoinhos tostados e dourados. O vegetal era aspargos assados cobertos com casca de limão.

— Nossa! Isso parece delicioso mesmo — sua irmã olhou para o prato dele com satisfação.

— O seu também. — Josie tinha pedido frango ao parmesão. A carne fora frita até chegar a um tom adorável de marrom e coberta com uma combinação de queijos italianos, acompanhada de espaguete coberto por um rico molho vermelho marinara. O jantar dela incluía ainda salada e pão de alho torrado. Os aromas do pão aquecido e do alho funcionavam como um afrodisíaco. Era muito fácil exagerar no alho. E a cozinha não tinha cometido tal deslize.

— O *chef* está de parabéns — Josie esticou-se para pegar o garfo.

— Você ainda não experimentou — ele a criticou.

— Ora, minha nossa, se o gosto for metade tão bom quanto o aroma, estarei nos céus. — Aren abriu um sorriso e virou os olhos. A aparência poderia enganar. — Por falar no *chef*...

Aren ergueu a mão, interrompendo-a.

— Não me diga o nome.

Josie colocou o garfo de lado.

— Por que não?

— É melhor que eu não saiba, para não induzir a minha opinião. Já vi muitos outros na minha posição influenciados por uma celebridade na cozinha. — Ele não ousou dizer nada que pudesse sugerir a alguém por perto que ele escrevia para a *Gazeta*. Aren julgava a comida, não a reputação. Não o número de livros de receitas publicados e certamente não a fama. O que lhe importava era a comida e a experiência total do jantar.

— Você ainda não experimentou — disse Josie.

Cheio de ansiedade, Aren pegou o garfo. O linguado estava perfeitamente cozido. A boca da irmã ficou aguada na ânsia para dar a primeira mordida. Ele fechou os olhos, esperando o puro deleite.

Deleite não era a palavra exata que ele usaria para descrever o linguado. Na verdade, conteve-se para não cuspir a comida. Somente com muita força de vontade ele conseguiu engoli-la.

Em uma palavra, o linguado era *horroroso*. O molho à base de manteiga estava salgado a ponto de estragar o prato inteiro. Aparentemente, o *chef* notou o erro e supercompensou-o com limão, que deixou na carne um sabor ácido tão poderoso que Aren quase enrugou os lábios. Se isso não bastasse, havia nitidamente o gosto de pimenta-caiena. Apenas os aspargos estavam comestíveis, cozidos à perfeição. Infelizmente, todo o resto da comida no prato de Aren não era bom para o consumo humano.

A refeição foi uma decepção e tanto. Em contrapartida, Josie parecia saborear cada pedaço.

— Há algo de errado com a sua refeição, senhor? — o garçom perguntou enquanto retirava o prato vazio de Josie. Incapaz de se forçar a engolir um segundo pedaço do peixe, Aren deixou o prato praticamente intacto, com exceção de um pedaço de linguado, aspargo e batata. Até mesmo esta parecia estranha, tão carregada com manteiga que o sabor natural se perdera.

— Não, está tudo bem — Aren forçou um sorriso. Em outras circunstâncias, ele teria devolvido o prato para a cozinha e se recusado a pagar.

— Gostaria de sobremesa? — o garçom perguntou. — Somos bem conceituados pelas nossas maravilhosas sobremesas. Eu recomendo nossa musse de caramelo salgado.

— Musse salgado? — Aren repetiu. Aparentemente o *chef* tinha um caso amoroso com o saleiro. Francamente, ele já experimentara tudo o que podia. Algo doce não iria redimir o restaurante. E Aren já bebera uma taça de vinho e dois copos de água em um esforço para eliminar o gosto desagradável de sua boca.

— Eu gostaria — Josie se voluntariou, entusiasmada demais na opinião dele.

— Vou experimentar a musse dela — disse Aren.

Sua irmã pediu a musse e, para ser justo, Aren experimentou-a e não estava tão ruim. Ele já tinha provado outras que podiam ser comparáveis a essa, mas o *chef* exagerara muito no sal, o que poderia ser perigoso para a saúde de clientes que têm pressão alta ou que fazem dieta com pouca ingestão de sal. O cardápio deveria alertar para isso, e Aren já planejava mencionar tal problema em sua resenha.

— Aren não gostou do jantar — Will resmungou.

— Você não sabe.

Goodness era muito otimista. Até mesmo Mercy podia ver que Aren não mexera em mais do que um pequeno pedaço do peixe. E tinha feito uma careta como se tivesse mordido um limão e mal degustara as outras comidas no final das contas. O prato voltara à cozinha praticamente intacto.

— A irmã dele comeu tudo.

Uma suspeita começou a tomar forma na cabeça de Mercy. Cada um de seus amigos tinha desaparecido por curtos períodos de tempo. Será que... Era possível...? Não, certamente eles não iriam interferir na comida.

— Não deveria ter acontecido isso — Will estava mais do que pouco chateado e continuou a esfregar as palmas juntas enquanto refletia sobre a situação.

— Will, você sumiu por alguns instantes logo depois que Aren pediu o linguado.

— Humm, sim.

— Pode me dizer aonde foi?

— Ah...

— Você visitou a cozinha, não foi?

— Ah...

Não precisava nem confirmar: foi exatamente isso que Will tinha feito.

— Você, por acaso, não adicionou um pouco de sal no molho à base de manteiga, adicionou?

Will encolheu os ombros e depois, de forma relutante, admitiu tê-lo feito.

— Talvez um pouco, mas foram só algumas pitadas. Minha intenção era apenas intensificar os sabores naturais.

— Você adicionou sal? — gritou Shirley, agitando as mãos no ar. — Como pôde fazer isso?

— Eu estava apenas tentando ajudar — Will balbuciou.

— Temo que Will não tenha sido o único — Goodness confessou. — Eu adicionei um pouco a mais de limão.

Quase receosa de perguntar, Mercy olhou para Shirley.

— Ao ver aquele condimento vermelho, pensei em deixar o prato um pouco mais agradável — a antiga Anjo da Guarda admitiu. — E, enquanto estive lá, posso ter misturado um pouco aqui e ali.

— Ah, não — os ombros de Mercy afundaram. A situação era ainda pior do que ela havia imaginado.

— E você? — Will quis saber.

Mercy soltou o ar lentamente e admitiu que também havia participado disso:

— Culpada de fato.

— Nós todos adicionamos condimentos extras àquele maravilhoso molho — Will começou a retorcer as mãos. — Arruinamos tudo. Aren não terá outra escolha senão escrever uma resenha negativa. As pessoas irão lê-la, e não será apenas a versão impressa. A resenha será disponibilizada *on-line* e logo circulará por toda parte na internet.

— Lucie e a mãe ficarão arrasadas — Goodness lamentou. — O negócio delas irá afundar. As economias que Wendy guardou por toda a vida desaparecerão pouco a pouco, e as duas perderão tudo. Elas não conseguirão pagar as contas e vão acabar morando nas ruas, desabrigadas e sozinhas, e a culpa será minha.

— E minha — Shirley choramingou.

— Nós arruinamos as vidas delas — Goodness estava quase indo às lágrimas.

Mercy acenou com os braços, silenciando os amigos:

— Temos preocupações maiores do que o que acontecerá com Lucie e a mãe dela.

— Você quer dizer que tem mais coisa? — Will preocupou-se.

— Quer dizer que as coisas vão ficar pior?

Com profunda tristeza, Mercy acenou com a cabeça.

— Muito pior.

Goodness ficou boquiaberta.

— O que mais poderia acontecer?

Mercy não se conteve.

— Gabriel descobrirá o que fizemos.

As duas amigas dela e Will ofegaram de pavor.

— Desta vez nós aprontamos pra valer. Mover alguns porta-aviões de lugar não é nada se comparado com a sabotagem no molho de Lucie.

— Tenho certeza de que este é o nosso fim — Shirley choramingou.

— Eu ouvi algum de vocês mencionar meu nome? — De repente, Gabriel apareceu diante deles. E nunca tinha se mostrado tão intimidador ou inacessível. Os enormes braços estavam cruzados sobre o peito e seu olhar era de desaprovação.

Will correu até o lado de Mercy. Shirley e Goodness juntaram-se ao lado dos dois de forma que os quatro ficassem praticamente invisíveis.

— O que aconteceu aqui? — ele exigiu saber. Ninguém respondeu. — Eu lhes fiz uma pergunta — a voz dele parecia ressoar e ricochetear pelo restaurante. Era um milagre nenhum humano ouvi-lo, embora as paredes parecessem ceder com o poder daquelas palavras.

— Nós tentamos ajudar Lucie a impressionar Aren — a voz de Mercy soou como se ela tivesse sido jogada em um poço profundo. Ela ecoou em seus ouvidos num tom agudo e metálico.

— Adicionando sal, limão e pimenta-caiena ao molho e um pouco de manteiga extra às batatas?

Então ele já sabia.

— Temo que sim.

— O que podemos fazer para consertar isso? — Will perguntou. O precioso garoto estava realmente preocupado.

— É tarde demais para consertar. Aren escreverá uma resenha nem um pouco favorável — Gabriel falou em um tom crítico.

— E isso afetará o negócio delas?

— Terá o potencial de destruir o restaurante. A *Gazeta de Nova York* é capaz de provocar isso, vocês sabem.

— Ah, não — Goodness lamentou. Ela tinha um coração tão sensível. Mercy sabia que sua amiga nunca se perdoaria caso Lucie e a mãe perdessem o restaurante por causa do que eles haviam feito.

— Nós estávamos apenas tentando ajudar — disse Shirley. — Por favor, diga que nós poderemos voltar atrás e desfazer o que acabou de acontecer.

A tristeza margeou os olhos de Gabriel.

— Você sabe que não podem.

— Mas no céu...

— Esta é a Terra, e nós somos envolvidos pelas fraquezas de um mundo arruinado. Não existe um botão de desfazer, nem tecla de apagar. A vida é assim.

— O que vai acontecer? — Mercy apelou. Gabriel tinha o dom de olhar para o futuro, habilidade que, infelizmente, eles não possuíam.

Infeliz, Gabriel balançou a cabeça.

— Acho que talvez seja melhor esperar e deixar vocês descobrirem por si mesmos. Os quatro quebraram uma das regras primordiais dos Embaixadores da Oração.

— Nós interferimos para ajudar — Goodness confessou.

— Nosso papel é guiar.

— Nós temos uma diretriz sem interferências.

— Agora vocês verão o que acontece quando um anjo se excede ao ajudar humanos.

— Mas nossas intenções eram boas.

— Intenções — Gabriel repetiu. — Intenções, meu jovem, são pavimentos ao longo da estrada da morte.

— Mas...

— Isso será uma lição dolorosa para todos vocês.

Mercy receou o que certamente viria a acontecer.

— Nós estamos banidos da Terra, não estamos? — Eles nunca mais teriam permissão de visitar humanos. Poderiam até perder o *status* de Embaixadores da Oração e terem as asas retiradas. Essa possibilidade era mais do que ela conseguiria suportar.

O olhar de Gabriel concentrou-se nos quatro.

— Vocês aprenderam a lição?

Os quatro acenaram simultaneamente com a cabeça.

— Vocês prometem não interferir outra vez nos assuntos humanos?

— Eu prometo — Will lamentou. — Nunca mais adicionarei sal em outro prato enquanto servir ao Senhor.

— Shirley, Goodness e Mercy — Gabriel virou-se para as três. — Vocês sabem bem.

Elas inclinaram a cabeça, e as asas se curvaram tanto que as pontas se encostaram no chão.

— E quanto a Aren e Lucie? — Mercy sentiu a necessidade de saber como agir do melhor modo para ajudar esses dois... isto é, guiá-los. Como ela e seus colegas eram responsáveis por atrapalhar o plano de Deus, o mínimo que podiam fazer era, se possível, consertar as coisas.

— Ah, sim — Gabriel refletiu em voz alta. — Aren e Lucie. Bem, meus amigos, nós teremos que esperar e ver o que acontecerá a seguir.

Capítulo 6

Revoltada com a resenha do Encantos Divinos publicada na *Gazeta de Nova York*, Lucie amassou o jornal e, em seguida, pisoteou-o. Ela já lera a resenha diversas vezes, procurando por um vislumbre de algo positivo, qualquer coisa considerada construtiva, mas não havia nada. Sequer uma única palavra animadora. O restaurante fora criticado por Eaton Well. A resenha mostrava-se severa, sarcástica, e isso apenas no primeiro parágrafo. Depois, ela piorava. Era um desastre com potencial de arruiná-las.

— Querida, você está lendo isso outra vez? — a mãe dela perguntou.

Lucie pisou com força no jornal todo amassado e movimentou os pés para a frente e para trás, como se estivesse apagando um toco de cigarro. Era isto que gostaria de fazer com o resenhista: pisoteá-lo como se fosse uma barata. Ele ou ela era um parasita. Um inseto que precisava ser exterminado. Eaton Well fora totalmente injusto caçoando da comida dela, depreciando seu talento e chegando até a sugerir que ela desistisse da cozinha.

— Lucie, Lucie, querida, deixe pra lá — Wendy colocou a mão no braço da filha, como se quisesse contê-la. — Não permita que esse artigo ridículo a chateie tanto.

A mãe permaneceu relaxada e calma, o que só servia para enfurecer Lucie ainda mais. Aparentemente, sua mãe otimista, de bom coração, não compreendia as consequências que tal resenha talvez trouxesse ao restaurante. Poderia ser o começo do fim.

Wendy parecia tolerar essa horrorosa resenha, ao passo que Lucie estava em ponto de ebulição, afinal, ela era a principal parte da resenha escrita.

— Você está levando isso muito a sério — Wendy a alertou.

Lucie olhou fixamente para a mãe. Wendy sempre fora a otimista da família, aquela que sempre encontrava algo positivo em qualquer situação. Quando tinha lido a resenha pela primeira vez, Wendy sugerira que o resenhista poderia ter enfrentado um dia ruim. O pobre repórter estava provavelmente apressado, sem tempo de apreciar sua refeição.

— Você não entende que uma resenha como essa pode nos arruinar? — Se Lucie tivesse dito isso apenas uma vez... Mas ela repetira dez vezes, e aparentemente as palavras ainda precisavam entrar na cabeça de sua mãe.

— Talvez, mas particularmente não acredito que precisamos nos preocupar — Wendy despejou o chá quente na xícara e assoprou o vapor que saía do líquido antes de dar um gole. — Ainda não tivemos redução de reservas, tivemos?

— E como poderíamos? — Lucie a repreendeu. — A resenha saiu há menos de 24 horas. Mãe, você não entende? Os leitores consultam essas resenhas de restaurantes. Mesmo que consigamos sobreviver, ela pode nos fazer regredir por anos. — Lucie não queria parecer negativa, mas uma delas precisava ser realista. Ser objeto de uma resenha não era pouca coisa. Com literalmente milhares de restaurantes à escolha dele, ter Eaton Well jantando em seu estabelecimento significava que o Encantos Divinos havia provocado certo alvoroço. O suficiente para chamar a atenção da *Gazeta*.

Ainda assim, como o resenhista ousara criticar o molho dela? Lucie tinha dado duro naquela receita e a iguaria poderia ser equiparada à de qualquer *chef* do ramo.

Wendy permaneceu inabalável.

— Lucie, você se preocupa demais. Nós temos um grande número de clientes fiéis.

— Você não entende? Você não leu o artigo? — Lucie não precisava recuperar a página impressa. Após ler o pior que havia nela por várias vezes, já memorizara os comentários: "*Encantos Divinos é tudo de menos. Se você sofre de pressão alta, tome cuidado, pois a* chef *tem uma mão pesada com limão e sal. Tanto sal, que ela deve ter drenado o Mar Morto no molho à base de manteiga... É sério, seja lá quem for que estiver na cozinha, precisa voltar para a escola de culinária ou abandonar o ofício de vez*". Lucie estava chateada demais para continuar.

— Eu concordo que esse comentário não foi nem um pouco agradável.

— Foi um esforço desesperado para soar inteligente e genial à minha custa — Lucie ficava inquieta toda vez que pensava naquelas observações sarcásticas.

— Eu não acho que você deveria levar isso para o lado pessoal, Lucie.

— Não levar para o lado pessoal? Como você pode dizer isso? Definitivamente se tornou algo pessoal. É um ataque à minha credibilidade. O resenhista pode ter sugerido que também sou desqualificada. Pense nisso, pois isto está no artigo também — Lucie esforçou-se para conter a indignação. Era brincadeira! Eaton Well não sabia nada a respeito dela, nem necessitava escrever a resenha dele ou dela. O crítico gastronômico sequer imaginava os sacrifícios que ela fizera a fim de frequentar a escola de culinária ou de como ela havia trabalhado durante noites e fins de semana até ficar extremamente exausta, a ponto de não conseguir pensar. Na opinião dela, esse crítico fora impiedoso e injusto.

Sua mãe continuou a beber o chá, colocando a xícara cuidadosamente de volta ao pires.

— Responda-me uma coisa: quando foi a última vez que você tirou uma noite de folga?

Lucie afundou-se na cadeira.

— Você está sugerindo que estou tão sobrecarregada que eu...

— Não estou dizendo nada disso. Apenas estou sugerindo que você precisa dar um passo para trás, respirar fundo e relaxar. Uma única resenha ruim não irá nos destruir.

Lucie gostaria de acreditar nisso. Era óbvio que sua mãe não tinha a menor ideia da seriedade da situação. Até recentemente, Wendy não fazia parte do mundo da culinária. A mãe de Lucie não compreendia que essas resenhas poderiam ter uma incrível influência.

O telefone tocou, e Wendy apoiou-se sobre o balcão da cozinha e o agarrou.

Lucie ouviu apenas metade da conversa. Não levou muito tempo para reconhecer que a pessoa do outro lado da linha era uma amiga de sua mãe ligando a fim de se solidarizar.

— Não estou nem um pouco preocupada — Wendy insistiu. — Eu conheço minha filha. Qualquer um que já tenha experimentado a comida de Lucie reconhece que ela é uma *chef* altamente qualificada. Minha filha sabe como se virar na cozinha. Não, não, não vamos entrar com processo contra o jornal. Representa a opinião de uma pessoa. A maioria prefere julgar um restaurante por si só. Foi uma infelicidade ele ou ela ter passado por uma experiência ruim, mas não podemos satisfazer a todos o tempo todo.

Ela tinha razão, notou Lucie. Ainda assim, ela teria preferido que esse repórter elogiasse infinitamente a sua culinária em vez de reprová-la de várias formas.

Wendy mal tinha desligado o telefone quando ele voltou a tocar.

— Ah, oi, Juliana. Sim, é claro que vimos. Não, não estou preocupada. Obrigada. Direi a Lucie. Sério? — Após alguns instantes de silêncio, a mãe endireitou o corpo na cadeira e fixou o olhar na filha. Lucie não conseguiu esconder que notara o modo como os olhos da mãe brilharam. — É claro que contarei a ela. Isso é maravilhoso. Muito obrigada, Juliana. Você fez o meu dia — agradeceu Wendy, desligando o telefone com um enorme sorriso no rosto.

— O que a Juliana disse? — Lucie não conseguiu conter a curiosidade frente à mudança de postura da mãe.

— Ela entrou no site do jornal. Afinal, sempre acompanhou a tecnologia. Toda essa tecnologia de mídia social está fora do meu alcance.

— E? — Lucie pressionou.

— Bem, aparentemente várias pessoas se ressentiram com a resenha e deixaram comentários.

— Sério? Várias pessoas? Ela disse quantas?

Wendy acenou com a cabeça.

— Ela disse que você deveria entrar lá e verificar, pois ficaria impressionada. Se não me engano, Juliana disse que já há trezentos comentários, todos discordando da resenha.

— Trezentos — Lucie sentiu vontade de sair dançando pela sala.

— E nem um deles é nosso parente — Wendy vangloriou-se.

Lucie sentou-se à mesa na mesma hora, instalada no canto da aconchegante sala de estar. Sammy, que sentiu algo errado, veio gingando e sentou-se no chão, próximo à sua dona, repousando o queixo em um dos pés dela como se quisesse confortá-la.

Lucie ligou o computador, conectou-se à internet e acessou a página do jornal. Como era de se esperar, a resenha do Encantos Divinos dominava os comentários direcionados ao jornal. Lucie mal conseguia acreditar no que lia. Ela cobriu a boca com a mão enquanto lia comentário após comentário elogioso ao restaurante. Várias pessoas mencionaram os pratos que eram marca registrada de Lucie, e quase todas elogiaram muitíssimo as sobremesas. Wendy tinha razão. Seus clientes leais não haviam permanecido em silêncio. Não era nem meio-dia e os comentários já passavam de trezentos.

— Bem feito, Eaton Well — Lucie murmurou, abrindo um sorriso incontrolável.

— O que eu disse para você? — Wendy perguntou, caminhando até o lado da filha. — Não temos que nos preocupar com nada.

Era nisso que Lucie mais queria acreditar.

Uma notificação da gerente editorial não era incomum, e foi esse o modo como a mensagem chegou até Aren: deveria dar uma passada na mesa da editora *assim que pudesse*.

Sandy Markus já trabalhava no jornal há quase trinta anos. Ela era *expert*, não fazia cerimônias e nem ficava tímida em compartilhar uma opinião. A mulher tinha coragem e nervos de aço — ambos necessários para chegar à posição que um dia foi considerada parte do universo masculino. Sandy não havia apenas quebrado um paradigma; ela ajudara a criar um novo. Aren respeitava sua chefe e gostava dela, embora tivesse o poder de intimidá-lo.

Quando Aren apareceu à porta do escritório de Sandy, ela olhou para cima e gesticulou para que ele entrasse, dizendo:

— Feche a porta.

Aren, de forma relutante, acatou o pedido dela. Quando Sandy queria a porta fechada, geralmente era notícia ruim.

Aren sentiu um frio na barriga.

A gerente editorial continuou a se concentrar na tela de seu computador.

— Sente-se — ela pediu. Sandy não tinha o estereótipo de jornalista. Ela era alta e magra, e arrumava o cabelo curto e crespo com musse até que ele ficasse liso na ponta. Com 60 e poucos anos, seu rosto tinha suportado bem a passagem do tempo.

— Algum problema? — Aren perguntou. Até onde sabia, seu trabalho tinha sido mais do que satisfatório.

No entanto, Aren não esperava que Sandy elogiasse seu texto. Ela fora bem clara ao afirmar que os artigos deveriam ser de primeira. Se não fossem, ele poderia procurar emprego em outro lugar.

Aren sentou-se.

— O que é isso? — ele odiava ser repreendido quando não imaginava o que havia feito de errado.

— Encantos Divinos — ela balbuciou, desviando o olhar do monitor de forma relutante. Então retirou os óculos e uma grande franzida de testa desfigurou-lhe a sobrancelha enquanto ela o analisava. — Você escreveu a resenha do restaurante, certo?

— Escrevi — Aren recolheu-se. A comida fora uma de suas piores experiências. Até onde ele sabia, seja lá quem havia cozinhado tinha muito a aprender. O prato de frango atendeu às expectativas, mas não demonstrava nenhuma especialidade. No verdadeiro teste, o linguado e o molho, a *chef* tinha fracassado de maneira lastimável.

— Você foi rigoroso demais nas suas anotações.

Rigoroso não era a palavra que ele usaria.

— Eu fui honesto.

Do outro lado da mesa, Sandy voltou a olhar na direção dele.

— Aparentemente a sua resenha provocou um baita alvoroço.

Ele riu.

— Ah, é? — Ele não conseguia imaginar o porquê, exceto o motivo óbvio de que o restaurante precisava de um novo *chef*.

— Pelo visto você não deu uma olhada no site ou na página do Facebook? Há centenas de respostas à sua resenha nos dois sites. Os leitores estão defendendo o restaurante, a comida e a *chef*. Eles até elogiaram a cor das paredes do recinto.

Aren fez uma careta. Aquele comentário resultava de uma linha que ele escrevera sobre o efeito calmante do interior do local. Os proprietários tinham escolhido um tom aconchegante de cinza com realces em preto. Aren talvez tivesse passado um pouco dos limites quando insinuou que o interior, embora reconfortante e convidativo, não fora suficiente para distraí-lo da pouca qualidade da comida. A observação estava carregada de sarcasmo; agora ele desejava ter agido de modo mais criterioso.

— Nem todos concordarão comigo — ele se sentiu obrigado a fazer sua editora se recordar.

— Eu apoio. Não estamos concorrendo em uma competição de popularidade com essas resenhas de restaurantes. No entanto, quando *trezentas* pessoas arrumam tempo para escrever e contradizer as suas constatações, eu me endireito na cadeira e observo.

— Trezentas? — Aren endireitou os ombros. — Eu pedi o linguado...

— Eu sei o que você pediu — ela o interrompeu. — Escreveu detalhadamente uma boa parte da sua resenha sobre ele. — Sim, ela estava certa. — Olhe para isso — Sandy virou o monitor de forma que Aren pudesse ler alguns dos comentários deixados no site. Quando ele não conseguia enxergá-los, Sandy lia em voz alta: — Meu nome é Bill Wheeler e viajei por todos os cantos do mundo. Um dos meus pratos de fruto do mar prediletos é o linguado servido com molho à base de manteiga. Pedi linguado em Londres, Paris e em outros lugares. E o melhor, o melhor de todos que eu já provei, é servido no Encantos Divinos — as três últimas palavras foram pronunciadas lenta e precisamente, como se ela estivesse lendo para uma criança.

— Trezentos comentários — Aren murmurou, prendendo a respiração.

— Aparentemente o Sr. Wheeler gostou do prato.

— Aparentemente, sim. O meu não tinha a menor condição de ser apreciado. Um saleiro inteiro deve ter caído naquele molho, junto com limão para conservar o arenque, sem mencionar o sabor evidente de pimenta-caiena. Não havia como salvar o molho ou o peixe.

— Algumas pessoas discordarão das resenhas de um crítico gastronômico.

— Compreendo isso.

— Mas trezentas? Isso significa, pelo menos para mim, que você não está cumprindo sua função.

— Não é verdade — Aren receou ter de se juntar à categoria dos desempregados. — O que você gostaria que eu fizesse? — ele perguntou, temendo que ela o demitisse.

— O que eu gostaria — Sandy disse, com a voz elevada a ponto de a janela do escritório vibrar — é que você voltasse a comer no Encantos Divinos. Claramente a *chef* tinha tirado folga naquela noite.

— Claramente — Aren esforçou-se para evitar o tom de sarcasmo na voz.

— Se centenas de clientes correram para defender a *chef*, então acredito que uma segunda resenha deva ser feita.

— Tudo bem — respondeu Aren, embora não sentisse qualquer vontade de repetir a experiência naquele local.

— E faça isso logo.

— Considere seu pedido cumprido. No entanto...

— Sim? — Sandy já tinha voltado sua atenção à tela do computador. Seu olhar voltou a Aren.

— Eu fiz uma resenha honesta. Estou disposto a dar uma segunda chance ao Encantos Divinos, mas, se a comida tiver a mesma pouca qualidade, não mudarei minha opinião independentemente da quantidade de pessoas que discordarem de mim.

— Justo — Sandy disse. Então, como se tivesse pensado duas vezes, ela perguntou: — Alguém foi com você quando comeu lá pela primeira vez?

— Minha irmã.

— E qual foi a opinião dela?

Aren soltou o ar e franziu a testa.

— Na verdade, ela ficou impressionada. O prato de frango, segundo ela, estava delicioso.

— Então foi apenas você que achou a comida abaixo da média.

— Aparentemente.

Sandy voltou a se concentrar no teclado mesmo antes de Aren sair do escritório. Retornando à sua mesa, ele pegou o celular e mandou uma mensagem de texto para a irmã.

Vou dar uma segunda chance ao Encantos Divinos. Vamos?

A resposta dela veio poucos segundos depois: Quando?

Hoje à noite?

Amanhã?

OK, amanhã.

Posso encontrar você lá?

Sem problema.

Que horas?

19h, a menos que eu não consiga.

Aren ligou para o restaurante e descobriu, para seu descontentamento, que a única reserva disponível era para 17h30. Ele enviou outra mensagem de texto à irmã.

Ela respondeu: Farei o possível para chegar a tempo. Posso atrasar alguns minutos.

Sem problema.

Aren chegou ao Encantos Divinos cinco minutos antes do horário da reserva. Sua irmã lhe enviou uma mensagem dizendo que chegaria em dez minutos e pediu que ele já estivesse à mesa.

Chego aí já, já.

A mesma senhora elegante que tinha sido a recepcionista na primeira visita o conduziu até a mesa.

— O senhor está de volta — ela abriu um sorriso para ele. Então, abaixando o tom de voz, acrescentou: — Estou feliz porque aquela desagradável resenha não o levou a mudar de ideia sobre nossa comida.

Aren fingiu um sorriso.

Ela o conduziu até a mesa que ficava próxima à cozinha. Ele sentiu-se obrigado a admitir que os aromas vindos do outro ambiente o instigaram.

Talvez ele tivesse exagerado em sua crítica. Bem, logo descobriria.

Capítulo 7

Ocupada na cozinha do Encantos Divinos, Lucie fez uma pausa, certa de que tinha ouvido o som de sinos tilintantes. A música abafada estava baixa e discreta, porém a suave campainha podia ser ouvida mais intensamente do que ela. Sinos? Alguém estava tocando sinos no restaurante, e, embora isso parecesse bem estranho, a melodia a fez se recordar de uma de suas músicas de Natal favoritas: *Jingle bells.*

Olhando para fora da cozinha, pensando que talvez pudesse encontrar a fonte de tal som, Lucie localizou alguém que se parecia com... Aren.

Seu cérebro levou um instante até processar o fato de que o homem sentado à mesa, lendo o cardápio, era realmente Aren Fairchild. Na mesma hora, seu coração começou a acelerar em ritmo dobrado. Aren estava ali... no restaurante dela? Então engoliu em seco com dificuldade, ponderando o que fazer... se é que deveria fazer algo. Já se passara quase um ano. Ela mal saberia o que dizer a ele. Como poderia explicar-lhe o que acontecera?

Mark, o *maître*, entrou na cozinha e Lucie o agarrou pelo braço.

— Traga a minha mãe até aqui.

Ele olhou fixamente para Lucie e seus olhos arregalaram-se.

— Agora? Está tudo bem?

— Sim, acho que sim... Só traga a minha mãe logo. — Ela juntou as mãos firmemente e ficou grata pela calmaria que reinava na cozinha. Era cedo, eles tinham acabado de abrir para o jantar, mas logo os pedidos começariam a chegar aos montes.

— Você tem certeza de que está tudo bem? — Mark franziu a testa, preocupado.

Lucie já havia começado a tremer.

— Sim... É claro.

Menos de um minuto depois, Wendy correu até a cozinha.

— Lucie, o que há de errado? — ela esticou-se para pegar na mão trêmula da filha.

— Ele está aqui... no restaurante — afirmou, mas sua mãe parecia desatenta ao que ela queria dizer.

— Quem está aqui, querida?

— Aren. Aren do Empire State Building.

— Aren — Wendy repetiu lentamente e seus olhos arregalaram-se. — Aquele Aren?

Mordendo o lábio inferior, Lucie fez que sim com a cabeça.

— E ele está sozinho.

— Está decidico. Você vem comigo.

— Mãe...

Era tarde demais. Sua mãe a pegou pela manga do avental de *chef* e arrastou-a pelas portas vaivém da cozinha. Lucie sabia, desde o momento em que Aren a viu, que a reação dele foi semelhante à sua própria. O pãozinho quente que ele segurava caiu no prato e ele lentamente ficou de pé.

— Lucie? — o nome dela saiu como um filete de som, como se Aren não conseguisse acreditar no que via.

— Olá, Aren — além do cumprimento, ela não conseguia pensar em uma única coisa. A sensação era de que sua língua tinha crescido duas vezes de tamanho, preenchendo-lhe a boca inteira e tornando inviável seu discurso.

— Sou a mãe de Lucie, Wendy Ferrara. — A mãe dela deu um passo à frente e apertou a mão de Aren aninhando-a entre as suas, como se estivesse conhecendo um deus grego. Então, olhou-o fixamente, como paralisada, estudando seus traços talvez na tentativa de memorizá-los.

O olhar de Aren não desviava de Lucie. Aparentemente ele ficara paralisado com a mesma doença, pois também não parecia inclinado a falar algo.

— Você... Você foi até lá? — Lucie não precisava explicar o que queria dizer com a pergunta. Aren sabia.

Ele interrompeu o contato visual e desviou o olhar antes de confirmar com a cabeça.

Lucie sentiu-se péssima por tê-lo deixado esperando-a no frio, acreditando que ela preferira não vê-lo novamente. Ela teria dado tudo para sobreviver à sua própria versão de *Sintonia de Amor*, mas aparentemente não era para ser.

— Você esperou muito tempo?

— Algum tempo — ele deu de ombros como se não representasse nada. — Saí assim que percebi que você não viria.

Lucie percebeu que ele não mencionou o período de tempo que permanecera no frio e no vento. Ela se lembrou de que chovera naquele dia e odiava pensar nele lá fora, sofrendo com os fenômenos atmosféricos. Mas tinha esperança de que ele não tivesse pegado toda aquela friagem. Lucie queria perguntar, mas não conseguiu.

— Perdoe-me — ela sussurrou, sentindo-se culpada. Ainda assim, resistindo a todas as forças impossíveis, eles tinham se reencontrado e agora não tiravam os olhos um do outro.

— Dê a ele o seu número de telefone — sua mãe recomendou, cutucando Lucie de lado com o cotovelo. — Deixe pra lá, eu faço isso. O jantar é por nossa conta. Peça o que você quiser.

Aren novamente interrompeu o contato visual.

— Não posso deixá-las fazer isso.

— Por favor — Lucie complementou. — É o mínimo que posso fazer.

Naquele momento, uma adorável mulher caminhou até a mesa.

— Parece que estamos festejando. Desculpe, eu me atrasei.

O coração de Lucie desabou. Ela pensara que Aren estava jantando sozinho. Que tola. Como foi ingênua ao imaginar que ele sentira a falta dela como ela sentira a dele. Era evidente que Aren tinha conhecido outra pessoa. Enquanto Lucie usava seu uniforme de cozinheira e mantinha o cabelo preso com uma rede, a outra mulher era estonteante em cada sentido da palavra.

— Ah — Lucie recuou um passo antes que Aren falasse.

— Lucie, esta é a minha irmã, Josie.

Irmã? Lucie lembrou-se de que Aren tinha comentado sobre a irmã. Inclusive, estava morando com ela naquela época.

— Lucie? — Josie perguntou, concentrando-se nela. — Aquela Lucie?

— Sim.

Lucie percebeu que ele não falou nada além do "sim". Aparentemente, Josie sabia tudo sobre ela.

Sempre atuando como promotora, Wendy entregou um cartão de visita a Aren.

— Eu anotei o número do celular de Lucie na parte de trás. E, meu jovem, tem algo que você deve saber...

— Mãe... — Lucie colocou uma mão no braço da mãe para contê-la.

Aren aceitou o cartão e o colocou sobre o tampo da mesa.

Lucie hesitou. Ela deveria voltar à cozinha.

— Boa refeição para vocês — ela disse, recuando, dando um pequeno passo de cada vez. Então mordeu a língua para evitar dizer a Aren que gostaria muito de ouvir o que ele tinha a dizer. A decisão de falar com ela pertencia a ele. Agora seria ela que ficaria esperando e pensando.

Aren dirigiu-se à Wendy e soou bem inflexível:

— Ouça, eu aprecio a oferta, mas faço questão de pagar por nossa refeição.

— Discutiremos sobre isso mais tarde.

Embora já estivesse na cozinha, Lucie conseguiu ouvir por acaso a conversa.

— Eu insisto, Wendy. Pagarei por nossa refeição ou Josie e eu iremos embora.

Lucie ouviu a mãe concordar de forma relutante. Quase na mesma hora, os pedidos começaram a surgir e logo Lucie já se preocupava com a cozinha e a preparação dos pratos. Depois de alguns minutos, ela estava tão ocupada que conseguiu esquecer que Aren se sentava a apenas alguns metros dela.

Quando Lucie teve a chance de olhar para fora da cozinha, ela viu outra dupla sentada à mesa onde Aren e sua irmã tinham jantado mais cedo.

Aren fora embora.

Wendy certificou-se de que Aren pegou o número do celular de Lucie, e ela teria que ficar pensando nele, esperançosa de que fosse ligar. Já passava das 23h e Lucie não tinha terminado de limpar a cozinha. Sua mãe juntou-se a ela e levou para as duas uma xícara de café descafeinado.

— Eu entendo você — Wendy disse, levando a xícara até os lábios. — O seu Aren é muito agradável aos olhos.

— Ele não é o meu Aren — ela reagiu e, em seguida, completou: — Você acha mesmo?

No rosto de sua mãe, um sorriso tremulou, e ela não fez questão de escondê-lo.

— Eu queria que você visse o seu olhar quando você o ouviu dizer que esteve esperando-a.

— Todos esses meses. Ah, mãe, eu me sinto péssima.

— Você queria encontrá-lo. Por que não me deixou contar a ele o que aconteceu e que você estava a caminho de encontrá-lo quando ligaram do hospital?

Lucie não sabia bem.

— Não era a hora certa. Resolvi que simplesmente não era para ser.

— E o que você acha agora?

Lucie temia revelar o quanto se sentia feliz por encontrar Aren.

Embora tivesse trabalhado duro em seu turno, ela não estava cansada. Na verdade, tinha certeza de que enfrentaria problemas para conseguir dormir. Sua cabeça e seu coração estavam tomados pela esperança de restabelecer contato com o homem que a deixara nas nuvens na noite de Ano-novo.

— Você acha que ele ligará? — ela perguntou à mãe.

Wendy abaixou o olhar na direção do café.

— É triste dizer, mas não.

O coração de Lucie desabou de decepção.

— Ele não vai?

— Foi o que ele disse.

— Você falou com ele depois que voltei para a cozinha? — Lucie estivera muito ocupada para prestar atenção ao que tinha acontecido depois de seu encontro inicial.

— Detalhadamente.

— Mãe! — Era típico de Wendy deixar um suspense como esse.

— Às vezes eu fico me perguntando sobre você, filha.

— Por quê? O que eu fiz agora?

Wendy balançou a cabeça.

— Bem, a princípio, você perguntou quanto tempo ele ficou esperando-a.

— Sim, fiquei pensando sobre isso... Quero dizer, é normal pensar se ele permaneceu muito tempo ali. — Ele não poderia culpá-la por isso.

— Mas você não fez questão de lhe dizer que estava a caminho de encontrá-lo quando recebeu a ligação do hospital.

— Eu sei... — Talvez tivesse sido um erro ficar em silêncio.

Entristecida, sua mãe balançou novamente a cabeça.

— Na verdade, você não disse uma única palavra para animá-lo.

Lucie sentiu um aperto no coração. Sua mãe tinha razão. Sentia-se horrorizada com seu descuido.

— Percebi que ele não respondeu com sinceridade quanto tempo ficou me esperando.

— Mas ele também não deveria ter respondido. Pare para pensar, Lucie. Você o deixou na mão e depois perguntou a ele para confirmar. — Ouvir a verdade dessa maneira fez com que ela sentisse enjoo. — Você não acha que isso já foi duro demais para o ego dele, agravando-lhe o sofrimento?

Sua mãe tinha razão. Lucie estragara sua oportunidade de estar com Aren de forma magistral. E não uma, mas duas vezes. Não foi à toa que ele deixara claro não ter intenção de voltar a entrar em contato com ela. Como tinha sido estúpida. Ao ouvir isso, percebendo como fora completamente tola, sua vontade era de começar a chorar.

Deixando o café de lado, Lucie sentiu-se deprimida.

— Então ele disse para você que não pretende voltar a falar comigo... nunca mais.

— Um homem tem seu orgulho, Lucie.

— E eu consegui estragar tudo isso.

— Estragou — confirmou sua mãe, antes de hesitar. — No entanto, Aren e eu conseguimos ter uma conversa prolongada.

Lucie ergueu a cabeça.

— O que ele disse?

— Bem, a verdade é que fui eu quem mais falou.

Ah, não, isso não parece nada agradável.

— Mãe, o que você disse a ele? — Lucie esperou, prendendo a respiração.

— Lucie Ann, não use esse tom de voz comigo. Eu simplesmente expliquei a ele que tudo o que você mais queria era encontrá-lo no dia 7 de janeiro, mas recebeu a ligação do hospital. Eu sou a culpada por fazê-la perder aquele encontro. Garanti a Aren que não sou intrometida, mas, como você não conseguiu encontrá-lo por minha causa, achei que era meu dever acertar as coisas.

— O que ele respondeu? — Lucie inclinou-se tão próximo à sua mãe que correu o risco de cair do banquinho.

— Bem, na mesma hora eu pude notar que Aren sentiu-se grato por descobrir a verdade. Ele se animou imediatamente, assim como Josie, a irmã dele.

— Ele se animou? — Lucie franziu a testa. — Mas você disse que ele não pretendia me ligar mesmo depois que lhe passou o meu número.

Sua mãe balançou a cabeça.

— Dê tempo ao homem, filha. Foi uma surra no orgulho dele. Aren deixou comigo o número do celular dele e disse que, se você ainda estivesse interessada, deveria ligar-lhe. Você vai ligar, não vai?

Lucie não precisou de tempo para tomar sua decisão.

— Assim que acordar ligarei para ele.

— Perfeito.

Faminta por informação, Lucie vasculhou mais.

— Você e Aren conversaram sobre outras coisas?

Sua mãe hesitou.

— Bem, sim, e eu espero não ter dito nada errado. Contei-lhe que você procurava o nome dele constantemente no jornal.

— Ah, mãe — Lucie lamentou-se por ela ter dito isso.

— Pude notar que ele ficou contente ao ouvir.

— Ficou? — Fazendo um retrospecto de tudo que acontecera, Aren merecia saber que Lucie não o tinha esquecido. Todos os dias, em algum momento, ela pensava nele. Estiveram juntos por apenas algumas horas, no entanto, Aren Fairchild deixara uma ótima impressão nela.

— Está pronta para voltarmos para casa? — sua mãe perguntou.

Lucie acenou com a cabeça.

— Aposto que você está cansada.

— Estou bem. Sempre gostei de conhecer pessoas, mas, tenho que admitir, meus pés estão doendo. — Retirando o sapato, Wendy esfregou os dedos doloridos.

— Conseguimos — Mercy disse, batendo as palmas das mãos nas de Goodness.

— Aren nem sequer notou por que Wendy o colocou sentado próximo à cozinha.

— Ainda que seja minha, foi uma ideia excelente — o peito de Shirley pareceu inflar-se o dobro do tamanho.

Will não parecia convencido.

— Gabriel não chamaria isso de interferência terrestre?

— Sem chance — Shirley garantiu a ele. — Não chegou nem perto disso. Se você quiser falar sobre interferência, então podemos discutir a hora em que Goodness assumiu o controle da escada rolante da loja ou...

— Como você fez para que Lucie olhasse para fora da cozinha? — perguntou Will.

Mercy sentiu-se aliviada pela mudança de tópico. Ela respondeu erguendo as mangas da comprida toga branca para mostrar uma série de pequenos sinos.

— Os sinos que Lucie ouviu? Eles vieram de você?

— Esse será nosso segredinho, certo? — Gabriel poderia não apreciar o truque dela... Uma pequena mágica.

— Uau.

— É um dom — Goodness explicou, entrelaçando os dedos e erguendo a cabeça na direção do céu com os olhos fechados.

— Quer dizer, como paz, esperança, misericórdia... Esse tipo de dom divino.

— Ah, não exatamente. — Eles estavam levando Will por um caminho tortuoso, o que deixou Mercy desconfortável. — Na verdade, os sinos são um pequeno truque que aprendi há alguns anos e que uso em raras ocasiões.

— Para chamar a atenção dos humanos — Shirley explicou. — Eu me lembro de uma vez quando Goodness apareceu na igreja.

— Ela apareceu... em forma de anjo? — Essa era uma das primeiras lições que os anjos aprendiam. Apenas era permitido àqueles com atribuições diretas de Deus aparecer sem disfarce ou trajados como humanos normais. Em todas as outras circunstâncias, eles deveriam permanecer invisíveis ou assumir a forma humana.

— Era uma situação de emergência — Goodness esclareceu.

— Era necessário — Mercy apoiou —, senão Goodness nunca teria corrido o risco.

Will olhou para Goodness em busca de explicação.

— Eu apareci diante de um pastor que tinha perdido a esposa para o câncer.

— E, além da esposa, ele também perdeu sua fé — Shirley acrescentou.

Os olhos de Goodness brilharam.

— Eu queria que esse pobre e angustiado homem visse o amor de Deus. Então fiquei em frente à igreja e, na plena glória da graça de Deus, abri minhas asas e deixei a luz brilhar.

Os olhos de Will arregalaram-se.

— O que aconteceu?

Mercy aproximou-se do amigo.

— Talvez devêssemos ver o que Aren Fairchild está fazendo agora, depois de ter encontrado Lucie.

— Não, espere — Will insistiu. — Conte-me o que aconteceu com Goodness e o pastor. Você tem que me contar.

Goodness suspirou, deixando os ombros e as asas abaixarem.

— Ele não me viu.

— Ele não a viu? — Will estava incrédulo. — Como ele não conseguiu vê-la? A luz do amor de Deus deveria tê-lo cegado.

— Ele estava muito envolvido em seu luto.

— Nossa — Will sussurrou, estupefato.

— Foi quando eu tive a ideia dos sinos — Mercy explicou. — É uma abordagem mais sutil. Quanto mais tempo você passar lidando com humanos, mais você aprenderá que é necessário ser sutil.

— Na maioria das vezes, a manipulação sutil funciona — Shirley acrescentou.

— Na maioria das vezes — Mercy concordou, mas acrescentou baixinho: —, mas não em todas.

— Certo, vamos descobrir o que Aren está fazendo — disse Will.

Capítulo 8

— Você não vai ligar para Lucie? — Josie quis saber, tomando um gole do café em um copo descartável enquanto se dirigiam à estação de metrô na manhã seguinte. — Você vai forçá-la a te ligar?

Aren sabia que Josie não conseguiria entender o dilema em que ele estava. Bem, por outro lado, talvez ela entendesse. Ele tinha orgulho, e isso sua irmã deveria entender. Afinal de contas, era o orgulho que a impossibilitava de entrar em contato com Jack, embora Aren suspeitasse de que a irmã ainda estava apaixonada pelo ex-noivo. Ela havia poupado informações do que exatamente tinha dado errado, apesar de ele estar bem certo de que era algo relacionado ao casamento. Uma discordância, provavelmente um motivo tolo, que rapidamente aumentara de intensidade. E, pelo que tudo indicava, aumentara a ponto de os dois se convencerem, um ou o outro, de que o casamento não era uma boa ideia no final das contas. Além disso, parecia lógico supor que continuar o relacionamento também não faria o menor sentido. Os nervos chegaram à flor da pele com o casamento e agora Josie estava sozinha e infeliz. Bem, Aren e sua irmã formavam uma boa dupla, um apoiando o outro no sofrimento.

O relacionamento dele com Lucie era complicado e ficava cada vez mais difícil. Tudo parecera tão perfeito, até inocente, naquela véspera de Ano-novo. Agora, com ele trabalhando para a *Gazeta* e Lucie como coproprietária do restaurante que ele resenhara, a possibilidade de Aren envolver-se nesse relacionamento tornou-se muito mais difícil.

— Só se ela for muito tonta para não telefonar.

Aren e a irmã sempre foram muito próximos. Todas as manhãs caminhavam juntos até o metrô. Ele encontrara um apartamento perto de Josie, e eles se encontravam para tomar café, levando a bebida enquanto se dirigiam aos seus respectivos trabalhos.

— Talvez ela não seja tão tonta. — Aren passara a noite em claro ruminando sobre a sua situação. Por um lado, ele sentia arrependimento em relação ao Encantos Divinos. Trezentos clientes não poderiam estar errados. O jantar estava um *encanto* e as sobremesas simplesmente *divinas*. A opinião dele sofreu uma reviravolta completa em relação à sua visita anterior. Dessa vez, o local tinha feito jus ao nome. Aren dissera à gerente editorial que pretendia escrever outra resenha, e ele o faria. Além disso, o arrependimento não tinha relação alguma com seus sentimentos pela *chef*.

— A propósito, existe alguma chance de você conseguir entradas para *Anjos no Natal*? — perguntou Josie.

Naturalmente sua irmã se referia ao mais recente musical da Broadway. As entradas estavam esgotadas com meses de antecedência. E, com o Natal se aproximando, era impossível encontrá-las.

— Até parece.

— Bem, você pode conseguir. O jornal tem seus contatos, não? É só uma questão de conhecer as pessoas certas.

Aren abafou o riso. Como recém-contratado, ele tinha pouca chance de arrumar os ingressos. Apenas deixara Josie sonhando. Aren gostava da companhia da irmã, mas, se ele fosse levar alguém para assistir a um musical, essa pessoa seria Lucie, isto é, se ela quisesse voltar a vê-lo.

Após seu divórcio, Aren não voltara para o mundo das paqueras e notou que Josie também não, embora ela fosse rápida para encorajá-lo. No fundo, Aren imaginava que sua irmã precisava vê-lo disposto a arriscar o coração novamente antes de ela se sentir confortável para fazer o mesmo. Irmão e irmã formavam uma tremenda dupla problemática.

— Avise-me o que você descobrir — Josie murmurou enquanto ela caminhava até o seu trem. — E, se você conseguir arrumar aquelas entradas, pergunte a Lucie se ela quer ir.

Aren franziu a testa.

— Eu pensei que você quisesse ir.

— Eu irei um dia. Estava pensando que seria o tipo de convite que Lucie seria incapaz de recusar. Ouvi que *Anjos no Natal* é um musical incrível.

— Não fique ansiosa demais, certo? — Ele odiava revelar seus pensamentos, e Lucie tinha definitivamente pegado pesado com ele.

Josie acenou alegremente para ele e partiu.

Aren foi para outra plataforma a fim de pegar seu trem e, em seguida, caminhou os poucos quarteirões até o prédio do jornal. Jogou a mochila na mesa e foi diretamente ao escritório de Sandy.

A gerente editorial estava sentada à frente do computador e desviou o olhar da tela quando ele bateu à porta. Olhando-o sobre os óculos pendurados na ponta do nariz, Sandy ergueu as mãos do teclado e girou a cadeira.

— Você jantou no Encantos Divinos?

Ele fez que sim com a cabeça, enfiando as pontas dos dedos nos bolsos da calça jeans.

— E?

— Foi maravilhoso.

Ela arqueou as sobrancelhas como se estivesse agradavelmente surpresa.

— Então você se arrependeu da resenha anterior.

Ele admitiu:

— Não sei explicar o que aconteceu na primeira visita. Minha irmã estava comigo e a refeição dela parecia normal. A minha foi um desastre.

— Mas desta vez não?

— Não. O linguado estava fabuloso em todos os sentidos. — E de certa forma ele não esperava que aquilo não tivesse nada a ver com os itens do cardápio.

— Bom. Escreva o seu texto e o publicaremos na edição desta noite. Ele deverá deixar os admiradores do restaurante felizes — falou a editora, voltando sua atenção para a tela do computador.

— Sandy — disse Aren, ainda em pé em frente à porta do escritório.

Ela olhou na direção dele, franzindo a testa de impaciência.

— Que foi?

— Não posso escrever a resenha.

— Por que não? — ela quis saber, claramente irritada.

— Encontrei a *chef* e eu a conheço.

— E isso influenciou a sua opinião?

— Não.

— Então escreva a resenha.

— É o que eu mais gostaria de fazer. No entanto...

Sandy tirou os óculos e o encarou.

— Qual é o seu problema, Fairchild?

— Eu quero namorar a *chef* — ele deixou escapar.

A editora franziu a testa e voltou a olhar para a tela do computador.

— Então a namore. Ela não precisa saber que você é Eaton Well. — Aren ficou espantado. Sem saber o que esperar de Lucie quando a verdade viesse à tona, a mente dele começou a borbulhar de felicidade e expectativa. — Você ainda está aqui? — Sandy deixou escapar.

— Obrigado, Sandy, obrigado mesmo. Essa é uma ótima notícia — o coração de Aren estava mais leve do que estivera em meses.

Quando a caminho da conversa com Sandy, Aren ficou imaginando o que ela diria sobre ele querer namorar Lucie. Agora era como se o peso de dez caminhões basculantes tivesse sido retirado de seus ombros.

Sandy olhou novamente na direção dele.

— Por que você ainda está aqui?

— Sem... Sem motivo... Estou indo para a minha mesa escrever a melhor resenha de restaurante que você já viu ser publicada.

— Então vá agora — ela resmungou rispidamente.

Aren mal tinha se sentado à frente do computador quando seu celular tocou. Distraído, olhou-o, mas, não reconhecendo o número, deixou quem quer que estivesse do outro lado da linha falar com a secretária eletrônica. Ele estava na metade de sua resenha, que literalmente parecia ser escrita por si só, quando Norm Lockett passou por seu compartimento. Norm fazia as resenhas dos shows da Broadway.

— Norm — Aren o chamou, interrompendo-o. — Posso lhe pedir um favor?

— Do que você precisa, jovem?

Aren ficou de pé. Norm tinha 30 anos de experiência e era estimado por todos.

— Existe alguma possibilidade de conseguir entradas para *Anjos no Natal*? — não faria mal algum perguntar.

Norm abriu um largo sorriso e deu um tapinha nas costas dele.

— Vou ver o que consigo fazer.

— Obrigado, Norm, aprecio sua ajuda. — Então, pensando que isto poderia ajudar, Aren acrescentou: — Acredito que você ouviu falar que Doris Roberts está vindo para substituir a protagonista em *Anjos no Natal*?

— Ouvi, sim.

A história surgira alguns dias antes. Betty White estava com uma baita gripe e precisava de um descanso.

— Eu poderia escrever um breve texto sobre Doris assumindo o papel — Aren sugeriu.

— Não há necessidade — Norm disse, e deu um tapa nas costas dele pela segunda vez. — Verei o que posso fazer, mas não posso prometer nada.

— Obrigado — Aren agradeceu. — Seria ótimo.

Ele voltou à sua baia e continuou envolvido em seu texto quando Norm voltou.

— Este é o seu dia de sorte.

— Você conseguiu as entradas?

— Duas para a noite de quinta-feira.

Aren não se importava com a noite.

— Obrigado. Você é o melhor. — Sentia-se tão feliz por conseguir as entradas que nem se preocupou em checar a própria agenda.

Mas, ao verificá-la, descobriu que tinha outra visita a um restaurante agendada para a mesma noite. Jantar e um show. Ele mal conseguia acreditar em sua sorte. Do céu, olhavam com bons olhos para ele nesse belo dia de dezembro. E seria ainda melhor se Lucie lhe ligasse. Se ela não o fizesse, ele levaria a irmã.

Norm voltou à sua baia e Aren voltou a escrever a resenha sobre o Encantos Divinos. As palavras fluíam facilmente, e ele redigia ininterruptamente até parar na metade de uma palavra. Um pensamento o acometeu. A ligação que ele deixou a secretária eletrônica atender mais cedo poderia ter sido de Lucie.

Pegando o celular, ele acessou a mensagem de voz. Acertou em cheio, como suspeitava.

— *Olá, Aren, é a Lucie. Minha mãe me disse que ela explicou por que eu não o encontrei em janeiro. Lamento por tê-lo deixado esperando. Espero que você esteja disposto a me dar outra chance. Se estiver, então me ligue, mas se não... Bem, eu compreendo* — a voz dela se modificou, afetada pela apreensão e decepção, Aren não sabia dizer qual dos dois.

Ele não se conteve em ligar de volta.

Ela atendeu dizendo:

— Lucie.

— Aren — ele respondeu, mas, antes que ele pudesse proferir outra palavra, Lucie começou a tagarelar.

— Ah, Aren, você recebeu minha ligação. É claro que a recebeu, caso contrário não estaria me ligando. Soei totalmente redundante, não soei? É que estou muito contente por ser você. — Ela pausou como se constrangida por ter falado tão rápido. — Vou ficar quieta e deixar você falar agora.

Aren sorriu e uma felicidade ardente o dominou.

— Você pode continuar falando o quanto quiser. Eu gosto do som da sua voz.

— Gosta?

— É muito oportuno nos encontrarmos depois de todos esses meses, você não acha? — ele perguntou.

— Sim... E oportuno é a palavra perfeita, mas você trabalha com as palavras, não é?

— Trabalho.

— Minha mãe disse que você estava escrevendo para o jornal. Procurei o seu nome...

— Não sou exatamente o repórter principal.

— Não, mas você é um maravilhoso escritor... Pelo menos eu acho que você deva ser, mesmo não tendo lido nada do que escreveu.

Na verdade, ela já lera um de seus textos mais importantes — a resenha de seu restaurante. Mas Aren não poderia lhe contar isso, pois seu contrato com o jornal o impedia, e a gerente editorial havia se esforçado para lembrá-lo disso. E, mesmo que ele pudesse, não o faria. Ele não queria terminar um relacionamento promissor quando este estava apenas começando.

Aproveitando a oportunidade para mudar de assunto, ele disse:

— Eu liguei porque fiquei pensando se você estaria disponível para um jantar e um musical na semana que vem. Tenho duas entradas para *Anjos no Natal* na próxima quinta-feira.

— *Anjos no Natal!* Eu ouvi dizer que é impossível conseguir entradas para esse musical.

— Eu tenho duas.

— Mas, ah, não, eu... acho que não poderei ir. Tenho que trabalhar na cozinha do restaurante à noite.

É claro que ela tinha. Aren mal podia acreditar que havia se esquecido dessa informação essencial.

— Naturalmente você estará trabalhando. Fiquei tão empolgado com as entradas que me esqueci completamente disso.

— Quinta-feira à noite você disse, né? — a pergunta foi seguida de uma breve hesitação. — Ouça, não importa a noite que for, vou tirar uma folga. Temos uma *sous chef* maravilhosa que pode me cobrir. Frequentei a escola de culinária com Catherine, que é muito boa. Minha mãe sempre insiste que eu tire uma folga, e isso é importante. Não é importante para o mundo em geral, mas é para mim. Ah, meu Deus, estou fazendo isso de novo. Provavelmente não faço sentido algum, não é?

— Incrivelmente, faz sim — o sorriso de Aren era tão largo que seu rosto doeu. — Vejo você semana que vem, então.

— Certo. Você me ligará até lá ou devo ligar para você?

— Eu ligo.

— Maravilhoso. Obrigada por me ligar de volta, Aren.

Era ele quem deveria estar agradecendo a ela. Eles se despediram, e Aren estava tão feliz que seria capaz de escalar uma montanha. Retornando ao trabalho, ele esperou alguns minutos e em seguida pegou o aparelho para ligar para a irmã.

Josie atendeu quase na mesma hora. Ela trabalhava na Wall Street para uma grande empresa de ações.

— Tenho boas notícias, boas e más notícias.

— Conte-me.

— Lucie me ligou — ele poderia ter não demonstrado tanta empolgação, mas sua irmã o conhecia muito bem. Ela notara sua atitude simulando indiferença em um segundo. Enganar Josie seria quase impossível. Consequentemente, ele nem sequer tentou.

— Ela já ligou para você?

— Há alguns minutos.

— Você irá se encontrar com ela, não?

— Aham. Essa é a boa e a má notícia.

— Explique-se, irmãozinho.

— Vou levá-la para um jantar e um show.

— Uau, você sabe bem como deixar uma garota encantada. Qual show?

— Essa é a má notícia.

Uma breve hesitação se seguiu.

— Não me diga... Que você conseguiu as entradas para *Anjos no Natal*?

— Consegui.

— Ai, cara!

— Não me odeie por isso — Aren brincou. — Eu também tenho outras notícias boas, mas não queria confundi-la.

— Você pode ir além até. Suponho que sejam assentos de orquestra — ela riu, e Aren sabia que Josie estava feliz por Lucie ter aceitado o convite.

— Por mim, eles poderiam ser da seção de hemorragia nasal que eu não me importaria. Minha terceira boa notícia é que conversei com Sandy, minha chefe, e ela disse que não haverá problema em escrever uma resenha para o Encantos Divinos e me retratar pela anterior.

— Mas é claro que você deveria.

— Temi que isso pudesse ser considerado um conflito de interesse, mas Sandy basicamente me disse para não me preocupar contanto que eu não revele minha identidade.

— Bom... Mas Lucie ou a mãe dela sabem que foi você quem escreveu a resenha inicial, criticando o restaurante?

— Não.

— Não? Aren, você poderá ter problemas.

— Eu contarei a Lucie quando for a hora certa. Não quero esconder o fato dela, mas, segundo meu contrato, não posso revelar a minha identidade para ninguém fora da família. Além do mais, Lucie e eu acabamos de nos reencontrar.

— E você não quer estragar os futuros planos.

— Algo do tipo — admitiu. Em sua cabeça, ele tinha a desculpa perfeita.

— Ah, Aren, prometa-me que você não vai manter isso em segredo por muito tempo.

— Josie, tenho de obedecer ao contrato. Eu poderia perder o emprego se dissesse a Lucie que escrevo com o pseudônimo de Eaton Well.

— Existem modos de fazer isso sem precisar dizer diretamente, você sabe.

— Talvez — ele reagiu. — Mas ainda é muito cedo.

— Certo, concordo com você nesse aspecto, mas temo que isso vá pairar sobre sua cabeça como um balão gigante de água, ameaçando explodir a qualquer momento.

— Eu saberei a hora certa de dizer — Aren prometeu. — Mas não até que consiga descobrir um modo de falar a verdade sem, de fato, contar a Lucie e até que tenhamos uma chance de nos conhecer melhor. Concorda?

— Certo, mas não espere até que seja tarde demais.

— Não esperarei. — Seria complicado, mas ele procuraria a maneira e a hora certas de fazer isso.

Capítulo 9

— Olha só esses anjos no palco — Mercy resmungou, balançando a cabeça, irritada. — Aparentemente a humanidade tem essa ideia de nós. Nossa! Essas pobres pessoas não têm a menor ideia.

Shirley, Goodness e Mercy, juntas com Will, estavam sentadas no camarote do teatro da Broadway, todos eles bastante entretidos com o musical. Após rigorosas instruções de Gabriel, sabiam que não valia a pena interferir no romance que florescia entre Lucie e Aren. Era uma missão sem interferências.

Mesmo assim, Mercy ficou de olho nos dois. Eles ocupavam ótimos assentos cerca de dez fileiras atrás, na seção da orquestra, e pareciam apreciar imensamente o musical. De vez em quando, as cabeças de ambos se aproximavam e eles trocavam sussurros. Mercy sentia-se um pouco romântica e parecia-lhe que o casal era perfeito junto. O coração dela encheu-se de amor assim que, logo após o início do musical, Aren pegou na mão de Lucie e ela abriu o sorriso mais doce de todos para ele. Há muito tempo Mercy não presenciava um momento tão romântico.

Quando o olhar de Mercy voltou a se concentrar nos amigos, ela franziu a testa ao ser tomada por uma sensação estranha.

Goodness tinha desaparecido.

— Onde está Goodness? — ela sussurrou, resistindo ao espanto. Shirley sacudiu os ombros, aparentemente envolvida com o que estava acontecendo no palco. — Will, você viu a Goodness? — perguntou, na esperança de esconder o pânico em seu tom de voz.

O jovem protegido delas parecia achar muito divertidas as travessuras que ocorriam no palco e respondeu com um aceno negativo de cabeça.

Mercy olhou ao redor freneticamente e viu que os seus piores medos logo iriam se concretizar: Goodness estava no palco com os atores. Sem saber mais o que fazer, e pretendendo evitar outro desastre, Mercy rapidamente juntou-se à amiga e agarrou-a pelo braço.

— O que você está fazendo aqui? — ela sussurrou.

— Esses atores não sabem nada sobre anjos ou sobre nosso comportamento. As roupas deles são uma piada.

Ah, não, a situação era pior do que Mercy imaginava.

— Goodness, nem pense nisso.

— Eu só quero agitar as penas deles um pouco. Deixá-las um pouco mais apresentáveis. Gabriel concordaria comigo.

— Não, ele não concordaria — Shirley intrometeu-se. As três deslocavam-se pelo palco, esvoaçando de uma parte para outra, evitando os atores.

— O que é aquilo? — Will perguntou, juntando-se a elas.

— O que é o quê?

— Aquele homem. Ele está tocando uma espécie de instrumento musical.

— É a tuba, agora volte para onde estávamos — Mercy ordenou.

De repente, uma atriz do palco, travestida de anjo, soltou um grito enquanto era suspensa cerca de 60 centímetros do chão.

— *Goodness, mercy*[4] — a atriz berrou em inglês, freneticamente agitando os braços.

— Ela sabe os nossos nomes — Shirley disse horrorizada.

— Coloque-a no chão — Mercy suplicou, e rapidamente reparou a situação. — Com cuidado, por favor.

Os pés da atriz foram se aproximando aos poucos do palco e, quase na mesma hora, outros três atores, também no papel de anjos, foram erguidos. Sem saber o que estava acontecendo, os outros atores, obviamente profissionais qualificados, continuaram suas falas como se nada estivesse errado, estendendo os pescoços a fim de olhar para cima, na direção dos atores cujos pés estavam se debatendo e os braços se agitando. Aparentemente, o público achou tudo muito natural, rindo estrondosamente. Aqueles que assistiam à apresentação pareciam acreditar que a cena era parte do programa, como uma peça dentro de uma peça.

Os principais personagens tinham participado de um programa de Natal em que as crianças reencenaram o nascimento de Jesus. Os anjos, todos atores, faziam os papéis principais, dirigindo as crianças. Agora Shirley, Goodness e Mercy quase provocaram um pandemônio com a equipe de palco, que dava de ombros, correndo pelo cenário e procurando algum inexistente fio escondido.

Enquanto Mercy discutia com Goodness, a sensata Shirley aparentemente perdera a cabeça e havia decidido que era seu momento de brilhar. Mercy não conseguia acreditar no que via: sua

[4] N.T.: "Minha nossa, misericórdia."

colega Embaixadora da Oração cantava junto com o pequeno coro de crianças.

Percebendo que já era uma causa perdida, Mercy desistiu e se juntou à amiga, cantando uma de suas canções natalinas preferidas. Todos no palco congelaram e olharam fixamente para as crianças, e, por um breve instante, Mercy temeu que fossem descobertas.

— Acho que está na hora de irmos agora — Will disse, puxando Shirley pela manga.

— Minha nossa! Você tem razão — concordou Shirley, aparentemente recobrando os sentidos.

— Eu gostaria de tentar tocar aquela tuba antes de irmos — disse Will, deslocando-se na direção da cavidade no palco onde ficava a orquestra.

Goodness agarrou Will e o puxou de volta.

— Agora não — Mercy se opôs, acompanhando os outros três para fora do palco. — Precisamos sair daqui enquanto é tempo.

— Ah, não, isso não está nada certo.

— E quanto a Lucie e Aren? — Will protestou enquanto eles faziam o caminho de volta para o céu. — Vamos deixá-los para trás assim?

— Não temos escolha agora. — Mercy não sabia bem como as coisas tinham saído tanto de controle, mas agora a situação era irreparável. Ah, ela deveria saber; deveria adivinhar que ver aqueles anjos no palco representaria muita tentação para eles. Então, após saírem do teatro e Mercy começar a se tranquilizar, ela ouviu o grito de Shirley:

— Goodness! Coloque o camelo de volta no lugar antes que alguém dê falta dele!

Mercy olhou para trás e ofegou. Certamente sua querida amiga roubara o camelo que estava preso atrás do palco e o conduzia pela rua.

Sim, eles não tinham salvação. Mercy só esperava que o céu não ouvisse tal história tão cedo.

— O que você achou do musical? — Aren perguntou a Lucie enquanto eles saíam lentamente do teatro.

Era difícil para Lucie ouvi-lo por causa da animada vibração da multidão. Todos falavam sobre o espetáculo. Lucie ouviu por acaso alguém comentar que já assistira à peça antes e que gostara muito das mudanças cômicas.

— Achei incrível... Simplesmente incrível.

— Eu também — concordou Aren.

Uma vez do lado de fora, ele ajudou Lucie a colocar o casaco e, em seguida, abotoou o seu próprio. Então pegou na mão dela e a aconchegou em seu braço. Era uma noite fria, o que dava a Lucie uma boa desculpa para ficar próxima de Aren. As luzes na cidade durante as festividades pareciam brilhar um pouco além do normal. Tudo tão perfeito, tão maravilhoso. Embora ela conhecesse Aren há pouco tempo, tinha a impressão de que ele sempre estivera em sua vida. Sem nunca ter experimentado esse tipo de sensação com um homem antes, Lucie não pôde evitar imaginar se conseguiria encontrar um homem a quem amasse com a mesma intensidade que tinha o amor que seus pais um dia compartilharam.

— Eu ainda estou tentando entender como eles conseguiram suspender os anjos — Aren comentou, franzindo a testa enquanto falava. — Geralmente, consigo ver os fios, e nós estávamos perto do palco o suficiente para enxergá-los, mas não vi nenhum.

— O canto das crianças foi... inacreditável.

— Eu vou baixar a música assim que chegar a minha casa. Foi... — Aren parecia buscar a palavra certa.

— Angelical — Lucie sugeriu. Os ombros dos dois se tocaram enquanto caminhavam de braços dados. — Que noite mais maravilhosa. Não sei como lhe agradecer.

Aren abriu um sorriso e envolveu a mão de Lucie na sua, apoiando-a no braço dele.

— Ainda não terminamos.

— Não?

— Espero que esteja com fome.

— Morrendo de fome — Lucie tinha acordado mais cedo do que o habitual naquela manhã, pois precisava cozinhar e deixar tudo pronto no restaurante, assim poderia sair à noite sem qualquer sentimento de culpa. Sentiu-se muito tentada a ligar para garantir que tudo estava dando certo. Mas sua mãe a havia desaconselhado a fazer isso. Wendy queria que Lucie esquecesse o restaurante por uma noite e aproveitasse. Ela achava que isso seria impossível, mas enganara-se. Quando estava com Aren, era como se não tivesse a menor preocupação com o resto do mundo.

— Eu sei que está tarde, mas fiz reservas para o jantar.

Eles passaram pelo Rockefeller Center e pararam para admirar as luzes na árvore de Natal e olhar os patinadores circulando pelo rinque de gelo. Incapaz de resistir, Lucie pressionou a cabeça contra o ombro de Aren.

— Cansada?

Ela deveria estar, mas não estava.

— Não, apenas feliz, tão feliz.

— Eu também estou. Não acreditava que fosse possível encontrá-la novamente.

— Eu também não. Já havia perdido as esperanças.

Eles continuaram a caminhar num ritmo lento e relaxado até chegarem ao restaurante cujo nome era o de um famoso *chef* da televisão. Lucie não escondeu o quanto estava impressionada.

— Como você conseguiu arranjar o jantar e os ingressos do teatro para a apresentação mais cobiçada da cidade na mesma noite?

Ele abriu um sorriso tímido.

— Eu mexi meus pauzinhos.

— Ouvi falar tanto sobre a comida daqui. Sempre quis experimentar.

— Bom, esta também é a minha primeira vez aqui.

Agora ela compreendia por que eles jantariam tão tarde. Provavelmente aquele era o único horário que ele conseguiu para fazer as reservas. De que Lucie tinha ouvido, ela sabia que o restaurante fora reservado com meses de antecedência. Era praticamente impossível arrumar uma mesa nas festividades. Lucie só podia imaginar quantos favores Aren devia aos outros por essa noite. Certamente ela iria se lembrar desse momento por um longo tempo.

Após se sentarem, eles aguardaram vários minutos até receberem os cardápios. Lucie chamou a atenção de Aren.

— Minha mãe nunca deixaria isso acontecer — ela sussurrou.

— Hã?

— Esperar pelos cardápios. Ela os entregaria imediatamente.

Aren sorriu e abriu o cardápio de moldura toda elaborada. Uma borla dourada pendia na parte de baixo dele.

Após dar a eles mais do que o tempo necessário para analisarem o que era oferecido, o garçom retornou e falou em voz alta quais eram os especiais da noite detalhadamente, mencionando o país de origem das ervas e dos condimentos e as suaves variações de cada prato. Mas, como já era tarde, os aperitivos haviam acabado e o restaurante dispunha de apenas uma única das entradas especiais.

Novamente, Lucie não se conteve e franziu a testa.

— Por que mencionar as refeições especiais se não estão disponíveis? Todos esses detalhes não fazem o alimento parecer mais atraente. Ele me fez sentir como se o prato estivesse em um museu para ser admirado.

— Concordo — Aren disse, rindo de forma contida.

Lucie pediu a merluza-negra, e Aren, *chillies* com recheio de queijo. Uma vez servida, a comida era tão decepcionante quanto o serviço.

— Bem, o que você acha? — Aren lhe perguntou após ela ter dado a primeira garfada. — O restaurante faz jus à reputação que tem?

Lucie colocou o garfo de lado e avaliou se deveria ou não dizer o que pensava. Como fazia parte do ramo de restaurantes, ela achava que estava sendo excessivamente crítica. Aren tivera muito trabalho para conseguir essa reserva, mas ela notou que ele também não estava apreciando a refeição.

— Você quer a verdade? — perguntou.

— É claro.

— O fato é que estou decepcionada, mas não confie em tudo que eu falar. Conheço muito sobre administração de restaurante. Meu peixe está cozido demais, o molho sem sabor e os vegetais sem vida. Isso é o que me deixa louca.

— Hã

— Nós recebemos um crítico gastronômico no nosso restaurante que reprovou a minha comida. Ele ou ela foi cruel e maldoso, e uma coisa eu lhe digo: qualquer prato que sirvo pode competir com os deste restaurante, em qualquer dia da semana.

Aren olhou fixamente para o outro lado da mesa com o garfo paralisado no ar.

Lucie deveria ter entendido tal gesto como um sinal de que parasse, mas, já tendo começado, ela não conseguia mais controlar-se.

— O que me chateia é que esse mesmo crítico provavelmente daria notas altas para este restaurante. Digo, Eaton Well deve ter resenhado as refeições daqui para que o restaurante tenha uma reputação tão fabulosa. Isso para você ver que o crítico não sabe do que está falando. — Ela mordeu o lábio, reconhecendo que provavelmente fora muito longe. Toda vez que pensava em Eaton Well e em sua injusta e sarcástica resenha, Lucie sentia o sangue ferver. Porque ela percebeu que tinha que agir assim, acrescentou: — Eu sei que ele trabalha no mesmo jornal que você, e, se ele é seu amigo, peço desculpas. Mas Well me fez mal e não sei se algum dia perdoarei o que ele disse sobre o Encantos Divinos.

Aren continuou a olhar fixamente para ela como se não soubesse o que dizer. Lucie tentou outra vez, receosa de que tinha estragado a noite com todo aquele falatório.

— Perdoe-me, por favor — murmurou, alisando o guardanapo no colo. — Eu não deveria ter mencionado a resenha. Como você percebeu, ainda estou chateada com isso.

Aren pegou o café, que a esta altura já estava frio.

— Pelo que sua mãe disse, os seus fiéis clientes rapidamente a defenderam.

— Sim, graças a Deus. Sem eles nós talvez estivéssemos arruinados. Poderíamos ter perdido tudo por causa de uma resenha negativa.

Aren colocou a xícara de volta no pires e inclinou-se para trás, mas ela notou que ele não estava confortável.

— Teve uma segunda resenha, não?

— Sim, uma retratação. Aparentemente o tal do Eaton Well foi forçado a dar uma segunda chance ao restaurante.

— A segunda resenha dele foi justa?

— Imagino que sim — ela respondeu encolhendo os ombros. — Ainda assim, eu gostaria de encontrar esse imbecil e dar uma dura nele.

— Imbecil?

— Bem, para mim ele é. Por que as pessoas têm que ser tão sarcásticas e cruéis? Ele disse coisas completamente desnecessárias. Esses escritores honestamente pensam que estão sendo espirituosos? Eles não percebem que colocam o meio de subsistência das pessoas em risco?

— Tenho certeza de que tudo dará certo no final.

— Espero que sim.

Para surpresa dela, Aren pediu uma bandeja de sobremesa com pequenas seleções de variados doces. Lucie experimentou dois aparentemente convidativos: o bolo de creme de banana e o sorvete de framboesa. Ambos estavam satisfatórios, mas não espetaculares.

— A sua sobremesa é muito melhor.

Ela abriu um sorriso enorme com o elogio dele e concordou sem falar nada. De qualquer forma, ela já falara bastante sobre a comida e o serviço.

— Obrigada.

Aren pagou a conta, que para Lucie foi desproporcional ao que lhes tinham servido. Enquanto os dois caminhavam para a saída do restaurante, ele parecia mais desanimado do que antes. Talvez, assim como ocorrera com ela, o dia dele tivesse sido longo e ele estivesse cansado. Já era tarde e os dois tinham que trabalhar na manhã seguinte.

— Olhe só — ela disse enquanto eles desciam a rua. — Deixe-me preparar um jantar de verdade para você. Esse foi uma decepção, e eu gostaria de oferecer-lhe uma das refeições criadas especialmente para você.

Aren olhou para ela e sorriu.

— Não recusarei.

— Ótimo. Domingo à tarde está bom para você? — a cabeça dela já borbulhava de ideias. Cozinhar era uma experiência emocional, e Lucie achava mais fácil expressar seus sentimentos por meio da comida do que através das palavras. O jantar seria seu modo de dizer a Aren o quanto ela apreciava a companhia dele e o quanto se sentia grata por terem se reencontrado.

— Domingo está bom para mim.

— Ótimo. Venha ao meu apartamento por volta das 16h... Se não for muito cedo.

— Está perfeito.

Aren parou de caminhar e sinalizou para um táxi.

— Tive a noite mais maravilhosa de minha vida — ela disse, consciente de que o tempo deles estava chegando ao fim. — Obrigada, Aren, por tudo.

Um táxi encostou ao meio-fio. Aren abriu a porta do passageiro e Lucie instintivamente levantou-se nas pontas dos pés para beijá-lo.

Ela esperara um longo tempo para isso, imaginando se o beijo da noite de Ano-novo, há quase um ano, estaria à altura desse.

Aren a segurou pelos ombros e inclinou sua boca sobre a dela.

Ah, era bom, tão bom como ela se lembrava, talvez até melhor. Ela queria se derreter nos braços dele e resistiu à vontade de se envolver em todo seu corpo, pés e mãos, braços e pernas.

— Ei, vocês dois — o taxista gritou —, eu não tenho a noite toda.

Lucie sentiu a relutância de Aren enquanto ele se soltava aos poucos dela.

— Nos falaremos antes de domingo, certo?

— É claro.

Ele parecia tão sério, até mesmo profundamente inquieto, mas Lucie não imaginava por quê. A noite fora quase perfeita... Com exceção do jantar, mas Aren não tivera qualquer culpa.

Assim que ela entrou no táxi, Aren deu um passo para trás e ergueu a mão em despedida.

Pressionando os dedos contra os lábios, ela apoiou a mão sobre a janela enquanto o taxista partia.

Capítulo 10

Aren ficou pacientemente de pé na fila do Starbucks, com medo de encontrar sua irmã. Ele não precisou esperar muito até que Josie entrou toda afetada na cafeteria menos de cinco minutos após ele chegar.

Ele comprara café para os dois.

— Ei, a que devo isso? — ela perguntou quando ele lhe entregou o copo descartável.

Aren não tinha uma resposta. Ele sabia que Josie estava esperando ouvir sobre a noite dele com Lucie, e ela fora maravilhosa, melhor do que ele esperava. O que o inquietou foi como Lucie ficou zangada com Eaton Well e a resenha original. Ela mal levou em conta a segunda resenha na qual ele elogiara e recomendara muito o Encantos Divinos. Era quase como se a resenha favorável não tivesse qualquer valor.

Eles começaram a caminhar em direção ao metrô com os passos em perfeita sintonia.

— Bem, não me deixe neste suspense — ela disse. — Conte-me como foi com a Lucie ontem à noite.

— Ótimo.

— Não parece ter sido ótimo. Ah, Aren, não me diga que ela adivinhou quem você é? — Josie parou de forma abrupta, forçando as pessoas que vinham atrás a se desviar deles, resmungando enquanto passavam.

Aren também foi forçado a parar.

— Não, mas ela falou muito sobre o *imbecil* que quase destruiu sua reputação com uma resenha ruim.

— Você não contou para ela que foi você, contou? — Josie quis saber.

— Não consegui. — Ele não sabia quantas vezes precisava lembrar sua irmã de que ainda tinha um contrato a ser respeitado.

Josie inclinou a cabeça para trás e olhou para o céu que escurecia como se a frustração fosse demais para ela.

— Ah, Aren, isso não é bom.

Ele só pensara nisso a noite toda. Lucie precisava saber, e quanto mais ele mantinha o fato em segredo, mais difícil seria para ele quando a verdade viesse à tona.

Eles voltaram a caminhar e logo se aproximaram da estação de metrô.

— O que a Lucie disse? — Josie o pressionou.

Aren sacudiu os ombros, como se praticamente não lembrasse, embora tivesse mentalizado cada palavra.

— Ela falou sobre Eaton Well e como ele foi maldoso e injusto. A certa altura, chegou até a afirmar que gostaria de conhecê-lo só para dizer isso a ele.

— Nossa!

— Mesmo que pudesse contar a Lucie, eu não o faria... Não com tudo indo tão bem. Ela ainda está muito zangada.

— Mas você escreveu uma resenha maravilhosa depois.

— Eu mencionei isso, mas ela rejeitou, desconsiderando o texto. Lucie só sabia falar da primeira resenha.

— Mas, Aren, mais cedo ou mais tarde você terá que encontrar uma maneira de contar a verdade a ela.

Aren não precisava da irmã para lembrá-lo disso. Ele sabia.

— Concordo.

— Você, mais do que qualquer um, sabe o que é ser enganado. Sei que é um risco, mas agora é digno corrê-lo.

Em teoria, Aren não poderia culpar seu próprio senso lógico.

— Eu sei o que precisa ser feito, é que... Não sei como fazer isso sem romper meu acordo com o jornal. Você já conheceu alguém com quem sentiu muita afinidade logo de cara? Lucie é inteligente, divertida, extremamente leal e gentil. Ela ama a família e o cachorro, e você deveria ver como todos no restaurante tratam a ela e a sua mãe. Não me lembro de ter conhecido um grupo melhor de pessoas.

— Você só foi até lá duas vezes.

— Eu sei, mas não é o que eles dizem, e sim como todos trabalham juntos e se ajudam. Esse tipo de coleguismo começa na gerência e vai percorrendo toda a hierarquia. Lucie e a mãe estão destinadas a tornar o Encantos Divinos um sucesso. Já consigo enxergar isso.

— Só posso dizer que você precisa encontrar um modo de contar a Lucie antes que toda essa situação saia do controle.

Aren não conseguia levantar um único argumento.

— Ela me convidou para jantar em seu apartamento no domingo.

Josie tomou um grande gole de café e balançou a cabeça.

— Você tem que arrumar um jeito antes disso.

— Mas...

— Quanto mais você adiar, mais difícil será.

A respiração de Aren veio em rajadas enevoadas no frio. A neve começara a cair, e, embora os sinais do Natal estivessem ao seu redor, ele mal os notara.

— Pensarei em algo — murmurou, e ele pensaria. Josie estava certa. Ele poderia perder tanto o emprego quanto Lucie, mas era um risco que tinha que correr. — Pensarei em algo. — Não seria fácil, mas era necessário.

— Ligue para mim quando tiver uma ideia.

Ele prometeu que o faria mesmo que o pavor o dominasse.

— Certo, agora que acabou com isso — Josie continuou como se estivesse contente por deixar esse assunto de lado — me conte o que aconteceu ontem à noite.

Aren sorriu ao se lembrar.

— *Anjos no Natal* foi ótimo, melhor do que esperávamos.

— Está no noticiário desta manhã, não ouviu falar?

— Do quê?

— Aren, minha nossa, você estava lá! Deve ter visto tudo que aconteceu. — Ele se sentiu totalmente perplexo; não fazia ideia do que sua irmã estava falando. — Entrevistaram os atores e eles contaram uma história inacreditável sobre como foram erguidos entre 60 e 90 centímetros do chão. Estavam encenando, recitando as falas como fazem em todas as apresentações, e de repente foram erguidos do chão e ficaram suspensos no ar por vários minutos.

É claro que Aren se lembrava. Lucie e ele tinham comentado sobre não conseguirem enxergar os fios.

— Você quer dizer que isso não era parte da peça?

— Não, e então outro grupo de atores insistiu que alguém estava cantando com eles. Na verdade, mais do que uma pessoa.

— A música estava excelente — Aren concordou.

— Os críticos estão dizendo que é uma jogada de marketing e os atores insistem que não é. Todos estão falando sobre isso no rádio esta manhã. E, sabe, eu fico do lado dos críticos. Parece mais com uma espécie de pegadinha publicitária. Quero dizer, como alguém explica aquele camelo vagando pela Broadway com os treinadores o perseguindo?

— O camelo fugiu? — Aren não tinha ouvido falar nada sobre isso.

— Honestamente, Aren, você tem que voltar para a Terra. Esse lance com a Lucie está confundindo o seu cérebro.

O cérebro dele estava mais do que confuso. Ele só conseguia pensar em Lucie e se dar conta de como tinha receio de perdê-la outra vez pouco depois de se reencontrarem. Aquela manhã ele havia ligado o rádio, mas seus pensamentos concentravam-se apenas em Lucie, e aparentemente não ouvira nada.

Logo os irmãos partiram dali, tomando direções diferentes.

Aren passou a melhor parte do dia escrevendo a resenha sobre sua experiência no restaurante. Então, por ter ido à peça na noite anterior, solicitaram-lhe que escrevesse um pequeno texto sobre o que vira e sobre sua própria interpretação dos estranhos acontecimentos da noite anterior, o que seria publicado na edição da noite. A resenha do restaurante levou mais tempo. Ele deliberadamente incluiu os comentários de Lucie no texto. Assim que ela lesse o texto escrito por Eaton Well, descobriria quem ele era e então poderiam conversar livremente. Mas, se ela o odiasse, acabaria rompendo com ele antes que seu coração se visse ainda mais envolvido. Quando Aren entregasse o artigo, o feedback seria positivo.

Ele saiu do escritório e pegou o metrô para o Brooklyn. O céu estava escuro. Nevara de forma intermitente o dia todo, e uma macia camada branca cobria a paisagem. Crianças em idade escolar estavam animadas, e Aren contou muitos bonecos de neve enquanto caminhava até o Encantos Divinos. Em circunstâncias normais, ele teria tomado um táxi, mas dessa vez queria esvaziar a cabeça.

O restaurante fora aberto há apenas cinco minutos quando ele chegou. A expressão de Wendy Ferrara mudou para um sorriso brilhante no instante em que Aren entrou no estabelecimento.

— Aren, que bom vê-lo — ela o cumprimentou como se fosse da família, dando-lhe um beijo na bochecha. — Lucie disse que passou momentos maravilhosos na última noite. Ela só conseguia falar sobre isso hoje de manhã.

— Eu é que tive momentos ótimos.

Ela o conduziu até a mesa.

— Aqui, sente-se. Vou lhe trazer uma xícara de café quente. Está muito frio lá fora e você está semicongelado.

Antes que Aren pudesse protestar, Wendy já tinha ido até a cozinha.

Sem escolha, ele se sentou e olhou ao redor. O restaurante fora decorado para as festividades desde a última vez que estivera ali. Em cada mesa havia um ramo de azevinho ao redor da base de uma espessa vela circular, e guardanapos de tecido verde e vermelho. Uma cortina de enfeite prateado circundava a mesa da anfitriã e dois ornamentos de vidro estavam pendurados em frente a ela com os nomes Wendy e Lucie impressos neles. Outra cortina reluzente guarnecia todo o comprimento das janelas com ornamentos idênticos e com os nomes dos funcionários escritos para todos lerem.

Wendy retornou um instante depois, trazendo uma fumegante xícara de café. Aren passaria sem isso numa boa, mas ela tinha razão: ele estava com frio.

— Espero que não se importe, mas Lucie teve que dar uma saída rápida para resolver uma coisa. Ela deve estar de volta daqui a alguns minutos. Peço desculpas, ela deve ter esquecido que você passaria aqui.

— Ela não sabia... Resolvi de última hora.

— Ah, então está explicado. Ela está caidinha por você, como bem sabe — Wendy contou a ele.

Ouvir isso era como voltar a escutar todas aquelas incríveis vozes cantando na peça. Sua irmã tinha razão. O que acontecera na apresentação estava em todos os noticiários. Assim que ficaram sabendo que Aren estivera lá, ele perdeu a conta do número de pessoas que o pararam em sua baia para perguntar a respeito. Ele queria ter prestado mais atenção aos acontecimentos. Naquele momento, o comportamento dos anjos parecia tão espontâneo, como se fosse intencional. Atores são suspensos no palco a toda hora. Oras, o Homem-Aranha passava em disparada sobre o público de um lado para o outro do teatro e ninguém tinha feito tanto espalhafato por isso. Mas os fios eram claramente visíveis nessas outras ocasiões.

— Acho que também estou no mundo de Lucie.

— Posso trazer algo para você comer? — Wendy perguntou-lhe.

— Não, obrigado. Só passei para falar rapidamente com Lucie. Preciso ir logo.

— Então vou embalar uma refeição para você levar.

Aren ergueu a mão em protesto.

— Por favor, sra. Ferrara, não será necessário.

— Que bobagem. Não aceitarei um não como resposta.

Antes que ele pudesse voltar a protestar, Wendy desapareceu dentro da cozinha. Quando voltou, trouxe uma grande sacola de papel. Se o tamanho do recipiente fosse um indício, ele teria comida suficiente para a semana toda.

— Eu liguei para a Lucie e ela está a caminho. Ela me pediu para mantê-lo aqui custe o que custar.

Aren não tinha nenhum motivo importante para a visita a não ser a necessidade de ver Lucie outra vez e o medo de estar prestes a perdê-la.

— O que irá acontecer? — Will perguntou. Ele franziu a testa com preocupação, quase como se soubesse de antemão o que estava prestes a ocorrer. — Quando Lucie descobrir que foi Aren quem escreveu a resenha negativa, ela ficará extremamente chateada.

— Eu também ficaria chateada — concordou Shirley. — Deve haver algo que possamos fazer para ajudar. Não compreendo por que Aren insiste em arruinar um relacionamento tão promissor.

— Não podemos interferir — Goodness insistiu, fitando os outros. — Gabriel não gostaria disso.

— Ele não gostaria de vê-la fugindo com um camelo também, mas isso não a impediu de surrupiá-lo do palco — Mercy fez sua estimada amiga recordar.

Goodness teve a boa ideia de aparentar um pouco mais do que decepção.

— Isso foi um lapso de julgamento. Alguém... Alguém já tem notícias de Gabriel?

— Não, e queira por gentileza abaixar o tom de voz antes que ele ouça.

Mercy rapidamente girou 360 graus, certa de que Gabriel iria aparecer a qualquer momento e bani-los da Terra para sempre.

— Por enquanto guardemos nossos truques para nós mesmos.

— Se conseguirmos — Goodness sussurrou, olhando por sobre o ombro.

— E quanto a Aren e Lucie? — Will insistiu, sentando-se impacientemente em um canto do restaurante. — O que irá acontecer? — ele esvoaçou pelo salão, revelando seu nervosismo.

— Não saberemos até que ela leia o artigo — explicou Mercy. Ela se preocupava com o jovem casal tanto quanto Will, mas o futuro estava nas mãos de Deus.

As três, acompanhadas de Will, pairaram sobre o restaurante à espera da chegada de Lucie. Mercy notou que as mesas foram ocupadas rapidamente. Quando Lucie entrou correndo na cozinha, ela recebeu na mesma hora uma enxurrada de pedidos.

— Será que o Aren irá falar com ela? — Will quis saber.

— Parece que ele quer tentar — Mercy respondeu, observando de perto a cena que se desenrolava entre Aren e Lucie na cozinha.

Aren seguiu Lucie por toda a ocupada cozinha, mas não conseguia acompanhar o ritmo dela. Para ele, era incrível como Lucie realizava as tarefas em um espaço tão pequeno, principalmente com os outros dois funcionários correndo para cá e para lá.

— É tão bom vê-lo — ela disse, girando cogumelos recém-fatiados em uma frigideira sobre o forno a gás. Então fez uma pausa, o tempo suficiente para abrir um sorriso para Aren. — Adorei cada minuto da nossa noite. Obrigada por tudo novamente.

Dispensando a gratidão dela, ele respirou fundo e disse:

— Eu sei que não é a melhor hora — as palavras mal saíram de sua boca quando Lucie virou-se abruptamente e abriu o refrigerador. Ele se desviou do caminho dela com um solavanco enquanto Lucie pegou o que precisava e voltou ao forno. — Achei que pudéssemos ter alguns minutos para conversar. — Sua intenção era mencionar o texto que escrevera e pedir a ela que não o lesse até que tivessem a chance de estar juntos.

— Ah, Aren, era o que eu mais queria agora, mas, como você pode ver, estou literalmente com a mão na massa.

Por falar em mãos, Aren foi obrigado a se encostar na pia e erguer os braços sobre a cabeça quando Lucie passou voando por ele. Era evidente que isso não estava funcionando.

— Não podemos conversar no domingo? — ela perguntou.

— Ah... claro. — A resenha estava agendada para ser impressa na edição de sábado.

— Ótimo.

— Peço desculpas por passar aqui sem ligar antes... Eu deveria ter tido mais noção. Domingo, então.

— Domingo — Lucie repetiu. — Daí poderei dar toda atenção a você.

— Certo. — Os ombros de Aren cederam de frustração e desânimo à medida que ele foi saindo da cozinha.

— Aren, espere um minuto — Lucie gritou, interrompendo-o.

Pouco antes de sair, Lucie caminhou até ele, colocando-lhe as mãos nos ombros e, em seguida, pressionou os lábios delicadamente contra os dele. Aren sentiu aquele beijo passar por todo seu corpo até chegar aos pés, os nervos à flor da pele, e, quando ela recuou, a reação dele foi apenas ficar em pé, olhando-a.

— Isso o prenderá até domingo? — ela perguntou com um sorriso atrevido.

Aren precisou pigarrear antes de conseguir falar:

— Deve me prender.

— Que bom.

A sensação do beijo o acompanhou por todo o trajeto até Manhattan. Então, sua cabeça já tinha esvaziado e o som do celular lhe avisou que ele tinha uma mensagem de texto. Mesmo sem verificar, Aren sabia que era de Josie.

E aí?

Sem dúvida ela ficara esperando o dia todo para saber como ele pretendia lidar com essa situação difícil.

Escrevi meu texto e usei nele os comentários de Lucie. Ela reconhecerá quem eu sou assim que pegar o jornal.

Ele precisou esperar apenas alguns segundos para a resposta da irmã:

Sairá tudo bem. Você está com a consciência tranquila, aconteça o que acontecer?

Aren odiava esperar. Piorava ainda mais as coisas.

Eu acho que sim.

Menos de dois segundos depois de enviar a mensagem, ele recebeu a resposta.

Dedos cruzados.

Aren queria mencionar o artigo para Lucie, mas fora impossível qualquer tipo de conversa enquanto ela estava cozinhando. Fizera seu melhor, mas parecia que as forças da natureza estavam contra ele.

Ele mandou à irmã outra mensagem de texto:

Jante comigo. Encontre-me em 15 minutos e eu explicarei tudo. A mãe de Lucie preparou uma comida para viagem.

A resposta de Josie foi rápida:

É melhor que seja boa.

Aren sorriu e rapidamente digitou:

O jantar ou a minha desculpa?

Ambos.

Capítulo 11

Sábado à tarde, Lucie pegou o celular e acessou sua lista de contatos. Então pressionou o nome e o número de Aren. Após três toques, ele atendeu:

— Aren.

— O que você está fazendo? — ela perguntou.

— Lucie? — Ele soou tanto satisfeito quanto surpreso ao ouvi-la, o que aumentou a confiança dela.

— Sim, sou eu.

— O que estou fazendo? Nada de mais. Terminei agora de lavar as roupas e limpar meu apartamento. Faço tudo que preciso antes para me livrar do trabalho no fim de semana. Ainda está de pé nosso encontro amanhã para o jantar, certo?

— Estou planejando.

— Como assim?

— Você gostaria de trabalhar para o seu jantar?

— Ah, claro. No que você está pensando?

— Encontre-me daqui a meia hora — ela disse, dando-lhe o endereço.

— Você não está no restaurante?

— Agora não, mas irei para lá mais tarde. Isso é especial.

— Especial. Quer me dar uma dica?

— Não. É surpresa. Você me fez passar momentos tão maravilhosos que pensei que deveria retribuir o favor.

— Eu pensei que fosse com o jantar de domingo.

— Isso é algo... a mais. Minha mãe está comigo, então não se atrase.

Aren riu.

— Estou a caminho.

Lucie desligou o telefone.

— Você falou com ele? — Wendy perguntou, amarrando o avental na cintura. A refeição estava quase pronta para servir. Duzentas e cinquenta refeições para ser mais exato. Rosbife, purê de batatas com caldo de carne, vagem fresca, um pãozinho caseiro ainda aquecido do forno e bolo de chocolate.

— Aren está a caminho.

— Você disse a ele que hoje é o sopão para os pobres?

Lucie fez o melhor que pôde para esconder o sorriso.

— Acho que me esqueci de mencionar isso. — Então retornou para a cozinha do Exército da Salvação e deu os toques finais no caldo de carne. Dentro de alguns minutos, as portas seriam abertas e os sem-teto invadiriam o refeitório. Após procurar bandejas e pratos, Wendy, Lucie e Aren serviriam todos conforme eles fossem entrando na fila. Wendy serviria a carne e as batatas, Aren ficaria encarregado dos vegetais e do caldo de carne e Lucie planejara encerrar com o pão e o bolo. As bebidas estavam no aparador, e os funcionários contratados iriam repor café, chá, leite e água nos recipientes.

Há tanto tempo quanto Lucie conseguia se lembrar, ela e a mãe eram voluntárias no abrigo em dezembro. Ela só teria tempo de servir o jantar antes de seguir correndo para cozinhar no Encantos Divinos. O dia dela fora superatribulado desde cedo, começando com os assados e o planejamento do cardápio. A cabeça de Lucie estava um turbilhão com tudo que ainda tinha que fazer quando Jazmine telefonou para dizer que estava se sentindo mal, gripada. Isso significava que Lucie e sua mãe teriam uma baixa para servir o jantar. E foi assim que Lucie pensou na mesma hora em Aren.

— Vou terminar aqui — sua mãe lhe disse. — Se você não explicasse o que está se passando aqui, Aren pensaria ter vindo para o endereço errado.

— Você acha que eu deveria ir para o lado de fora e esperá-lo?

— Sim, querida, senão ele ficará confuso.

Lucie sabia que a mãe tinha razão. Pegando o casaco, ela enfrentou o vento frio do final de tarde. O céu escuro era ameaça de mais neve, mas ela não se importava com isso. A neve deixava a época de festividades ainda mais alegre.

Enquanto caminhava pela área, ela pensou nos homens e nas mulheres que não tinham um lugar quente para dormir. Bem, pelo menos esta noite eles receberiam uma refeição quente e nutritiva para lhes preencher o estômago.

Um táxi encostou do outro lado da rua e Aren desceu dele, com a testa franzida. Em seguida, olhou para o pedaço de papel que trazia na mão. A mãe de Lucie tinha razão: ele estava confuso.

— Aren — Lucie chamou, acenando com o braço sobre a cabeça a fim de chamar a atenção dele, enquanto apertava o casaco na altura do pescoço. Ela se admirara de ele ter se mostrado tão disposto a vir mesmo sem saber de mais detalhes.

A expressão no rosto de Aren relaxou quando ele a viu e, depois de olhar para os dois lados, atravessou a rua correndo.

— O que é isso?

— Um abrigo para sem-teto. Minha mãe e eu somos voluntárias e estamos sem um funcionário. Pode nos ajudar?

— Eu adoraria... Mas podemos conversar depois que terminarmos?

Os ombros dela afundaram de decepção.

— Ah, Aren, não posso. Perdoe-me. Tenho que sair correndo para o restaurante assim que terminar.

Ele soltou o ar.

— Você leu o jornal hoje de manhã?

— Não — ela admitiu. Simplesmente não tivera tempo. Mas só poderia haver uma razão para aquela pergunta. — O jornal publicou um dos seus artigos? Você conseguiu um artigo nominal? Finalmente! Ah, Aren, você deve estar tão contente. Vou pegar o jornal assim que puder.

Ele hesitou um pouco ao responder:

— Na verdade, eu preferiria que você esperasse. Vamos conversar antes que você leia meu texto, combinado?

— O que há no jornal? — Will perguntou, seguindo o casal para o abrigo.

— Eu não sei. — Shirley entrou com ele. Goodness e Mercy já estavam do lado de dentro. Goodness permanecia de pé nos fundos do recinto, com o jornal aberto em um dos tampos da mesa.

— Ah, não — ela lamentou e, em seguida, bateu com a mão sobre a boca. Os olhos dela arregalaram-se enquanto lia a seção "Estilo de Vida".

— O que foi? — Will quis saber, juntando-se a Goodness.

— É a resenha do Aren sobre o restaurante — Goodness explicou. — Aquela do restaurante onde ele e Lucie jantaram na quinta-feira à noite, depois da peça.

— E...

— Minha nossa!

— O quê? O quê? — Mercy veio rapidamente do outro lado do recinto. Ela tentou dar uma olhada, mas, com Goodness, Shirley e Will pairando sobre o jornal, não conseguia enxergar nada.

— O que Aren fez? Levou um gravador no bolso?

— O que ele disse? — Mercy quis saber.

— Ele praticamente citou cada comentário de Lucie sobre o jantar. Assim que ela começar a ler a resenha, saberá que ele é o crítico gastronômico Eaton Well.

— E é por isso que ele quer conversar com ela antes que leia o jornal. Santo Deus! Por que ele faria tal coisa?

— Não pergunte para mim.

Pairou um silêncio ensurdecedor. Isso era ainda pior que antes. Seria desastroso para o relacionamento que só estava começando.

— Então é nosso dever garantir que Lucie não leia o artigo.

— O que podemos fazer? — disse Shirley, com as asas se curvando. — Nós demos nossa palavra a Gabriel que não iríamos interferir no romance deles. Se o fizermos, ele descobrirá na mesma hora.

Mercy não enxergava problema nisso, visto que já tinham cruzado a linha limítrofe na noite da peça. Na verdade, ela estava surpresa de eles não terem sido convocados a agir até agora.

— Vocês não acham que estamos nos preocupando muito agora... Depois do que aconteceu na peça? — Mercy perguntou.

— Certo, certo, eu sei que todo mundo ainda está chateado comigo por causa daquele camelo. Admito que deixei as coisas saírem um pouco do controle, mas eu não fiz nada, repito, não fiz nada para influenciar os sentimentos de Aren e Lucie um pelo outro.

— Eu também não — Shirley os lembrou. — Tudo que eu fiz se resumiu ao palco.

— É isso aí — disse Mercy, reconfortada pelo pensamento. Embora eles tivessem causado uma espécie de sensação mundana, aquilo fora apenas uma diversão inocente. Seja lá qual fosse o motivo, Gabriel não tinha mencionado o incidente, e por isso ela enumerava suas bênçãos. Suas muitas bênçãos.

— Ainda assim, devemos proceder com cautela — Shirley disse. — Não queremos passar dos limites, mas precisamos manter Lucie no escuro até que Aren tenha uma chance de se explicar.

— O que significa que ela não pode ler o artigo.

— Então estamos todos de acordo. Faremos o que for necessário para manter o artigo longe das mãos de Lucie.

— Mas somente o jornal — disse Shirley. — Não nos envolveremos em nada além disso.

— Sim — cada um disse sucessivamente.

— Isso dará a Aren uma chance de conversar com ela no domingo. Mas e se Lucie ficar chateada com ele após a conversa? — Will perguntou.

— Daí ela continuará chateada.

— Mas e se...

— Não podemos nos envolver no acaso — Mercy explicou. — Lidaremos com a reação dela quando for a hora certa.

— Já que eu estraguei a hora certa — Will murmurou, repreendendo-se severamente.

Shirley pousou uma suave mão no antebraço dele.

— Foi um erro de principiante. Não seja tão duro consigo mesmo. Você deveria ter testemunhado algumas das façanhas de Goodness e Mercy quando começaram a trabalhar como Embaixadoras da Oração.

— Todos nós cometemos erros — Mercy complementou. — Até mesmo Shirley.

— Ah, sim, eu já cometi alguns erros — a antiga Anjo da Guarda admitiu. — Mas, com a ajuda dos meus amigos, tudo terminou bem.

— Daremos um jeito nas coisas — Goodness assegurou a Will, e eles dariam. Com Deus não havia acidentes.

— Muito obrigada por dar uma mão — Lucie disse a Aren enquanto eles terminavam de limpar a cozinha. Wendy lavou os pratos, Aren os secou e Lucie colocou tudo de volta no seu devido lugar.

Os sem-teto tinham vindo e ido. Vários comentaram que aquele fora o melhor jantar que já provaram.

— Você faz isso sempre? — Aren perguntou, impressionado.

Lucie estava feliz, pois, na verdade, era ela quem se sentia tão bem após ser voluntária naquela ação.

— Nossa família faz esse trabalho desde que eu era criança. Meu pai também costumava participar. Não seria Natal se não pudéssemos ajudar os outros. Meus pais faziam questão de nos ensinar, a mim e a meu irmão, a retribuir.

— Deixamos você esgotado? — Wendy perguntou, juntando-se a eles.

Aren balançou a cabeça, negando.

— Não. Na verdade me sinto ótimo. Eu deveria estar exausto, mas não estou.

— Também me sinto assim — Lucie afirmou. Ver os rostos dos homens e das mulheres que apareceram na fila a tinha inspirado a fazer mais, a ser mais, a investir mais dela própria nos outros. Ela pensou na equipe de funcionários no restaurante e nos amigos com a estima renovada. Ela pensou em Aren também, e no quanto gostava dele e como era grata por tê-lo de volta em sua vida.

— Lucie, é melhor você ir agora, querida, senão se atrasará. Irei logo que terminar aqui.

A mãe dela tinha razão. Impulsivamente, Lucie abraçou Aren. Automaticamente, os braços dele a envolveram, e ele a segurou perto do corpo por um breve instante antes de, com relutância, soltá-la.

— Obrigada outra vez — ela sussurrou no ouvido dele. — Serei sempre grata por tê-lo conhecido.

— Sempre? — ele perguntou, contestando-a com o olhar.

A pergunta parecia estar dentro de outra. Uma que ela não compreendera bem.

— Sim — Lucie garantiu a ele. Se eles nunca mais se vissem, ela não teria o que lamentar. Embora estivesse apenas começando a conhecê-lo, sentia uma forte ligação com Aren. O relacionamento era muito promissor, e a atração continuava forte e parecia aumentar a cada vez que se encontravam.

Lucie olhou nos olhos dele e viu dúvida e arrependimento. Ficou chocada, mas infelizmente não teve tempo de perguntar o motivo.

Wendy trouxe o chapéu, o casaco e o cachecol da filha. O cachecol era um de seus prediletos, principalmente porque sua mãe o havia costurado para ela no penúltimo Natal. O que o tornava especial era o fato de sua mãe ter se dedicado à costura como válvula de escape para o sofrimento com a morte do pai de Lucie. Essa foi a primeira peça de roupa que Wendy completara após a morte do marido.

— Eu a acompanharei até lá fora — Aren se ofereceu.

— Ah, por favor — Wendy complementou. — Às vezes é difícil arrumar um táxi nesta parte da cidade.

— Mãe, eu ficarei bem.

— Sim, você ficará, principalmente se Aren a acompanhar. Agora, xô!

Balançando a cabeça, Lucie pegou as luvas e a bolsa antes de se juntar a Aren. Ela não era boba. Sua mãe encontrara um jeito de ela passar mais tempo com Aren, e Lucie não reclamaria disso. Afinal, ela via a oportunidade com bons olhos.

Anoitecera. As luzes da rua tinham acabado de ser acesas. Estivera tão ocupada com as demandas do restaurante, que Lucie sequer pudera apreciar a nova temporada de festas. Tudo parecia tão corrido. Sua mãe já decorara algumas coisas com enfeites natalinos, mas a árvore ainda estava desmontada, e ela ainda precisava começar a fazer as compras.

— Eu queria ter mais tempo para passar com você — ela disse a Aren enquanto eles caminhavam até o cruzamento mais próximo.

— Relaxe, Lucie. Não se estresse com isso.

— Tem tantas coisas que eu quero saber sobre você.

Ele colocou um pé na rua e acenou para um táxi. O primeiro passou rápido por eles, mas o segundo parou.

Aren abriu a porta para ela e Lucie adentrou o carro.

— Vejo você amanhã — ele disse e, apoiando-se na janela do carro, deu um rápido beijo nela.

— Farei um jantar do qual você se lembrará por muito tempo.

— Não se preocupe. O importante é estar com você.

Lucie tinha a mesma sensação. Eles passariam a noite inteira juntos, e essa certeza a deixava com uma feliz ansiedade.

Aren fechou a porta e recuou. Ela acenou e, como de costume, colocou a mão nos lábios e, em seguida, na janela.

Após Lucie dizer o endereço do Encantos Divinos ao taxista, o veículo partiu e ela se acomodou. Foi só então que notou um exemplar da *Gazeta de Nova York* no assento ao lado.

Capítulo 12

Uma sensação imediata de pânico tomou conta de Mercy quando ela viu Lucie pegar a edição de sábado da *Gazeta de Nova York* no táxi.

— Rápido — Goodness gritou, mexendo o dedo na direção de Lucie. — Pegue esse jornal.

Lucie alcançou o jornal, mas ele não se movia de lugar simplesmente porque Will estava sentado sobre ele. Por mais que ela o puxasse, o jornal permanecia no mesmo lugar.

— Isso não vai funcionar por muito tempo — Shirley lamentou--se, igualmente em pânico. — Abaixe a janela e se livre disso.

Mercy esticou-se e rapidamente acionou a manivela. Na mesma hora, uma rajada de ar frio invadiu o táxi.

Lucie ofegou e esticou-se para subir o vidro da janela.

— Ei, moça, estamos em dezembro. Levante essa droga de vidro antes que nós dois fiquemos congelados.

— Estou tentando. A manivela parece estar emperrada.

— Tente com mais força.

Goodness esticou-se para pegar o jornal e o fez esvoaçar dentro do táxi, o que não era pouca coisa, uma vez que o veículo estava abarrotado com os quatro anjos apertados nos assentos da frente e de trás, além do taxista e de Lucie.

— Se você atirar esse jornal pela janela e eu for responsabilizado por jogar lixo na rua, será você que pagará a multa, moça.

— Estou tentando pegá-lo — Lucie gritou de volta, mas, cada vez que o jornal ficava ao seu alcance, Goodness o afastava.

— Livre-se disso — Mercy a encorajou, fazendo o melhor que podia para ajudar, mas apenas causando mais confusão.

— Eu não quero jogar lixo na rua — Shirley gritou, enrolando o jornal e colocando-o embaixo do assoalho.

Lucie tentou pegá-lo novamente, mas, antes que ela conseguisse agarrá-lo, Mercy segurou o jornal e gritou para sua amiga:

— Pelo amor de Deus, jogue fora essa coisa. Podemos voltar e pegá-lo mais tarde.

— Certo, certo.

E lá se foi o jornal pela janela, mas, por sorte, as páginas caíram sobre os pés de um policial. Ele imediatamente subiu em sua moto e começou a perseguição, com luzes acesas e a sirene tocando.

— Moça, o que eu disse pra você? — o taxista rosnou. — Você irá pagar a multa. Eu não tive nada a ver com isso.

— Ah... Eu não joguei o jornal na rua, juro. Ele voou para fora do táxi sozinho.

— Se essa é a sua versão, tudo bem, mas particularmente acho que seria melhor você inventar algo um pouco mais original.

O taxista desviou para o acostamento e foi parando aos poucos no meio-fio. O policial estacionou a moto bem atrás do táxi. Em seguida, desceu e caminhou diretamente até a lateral do táxi. Com os pés firmes e separados e os dedões das mãos enfiados no cós, o oficial esperou o taxista abaixar o vidro da janela. O motorista acatou, mas com relutância.

— Olá, policial. Você precisa falar com a passageira.

Lucie suspirou em seu interior e abriu um sorriso amarelo para o patrulheiro.

— Feliz Natal, oficial.

Ele se inclinou na janela do carro e olhou diretamente para ela.

— Gostaria de se explicar?

— Ah... — Parecia que Lucie não encontrava as palavras.

O patrulheiro franziu a testa e sua expressão mudou.

— No estado de Nova York, jogar lixo na rua implica uma multa pesada. Atirar jornal para fora da janela é um perigo à segurança. Aquele jornal poderia ter tapado a visão de um motorista.

— Oficial... Eu poderia inventar uma história, mas o que estou lhe dizendo é a absoluta verdade. Eu queria ler aquele jornal, mas era como se ele estivesse grudado no assento. Depois, o vidro da janela abaixou sem eu fazer nada. Ele estava levantado e, de repente, desceu e eu nem estava perto daquele lado do táxi. Pensei que o motorista deveria ter apertado o botão sem querer, mas, quando olhei para o lado, percebi que a janela não era automática. Daí ele começou a gritar para eu subir o vidro, mas ele não se mexia. E enquanto eu estava tentando fazer isso, o jornal começou a girar em círculos dentro do veículo e, antes que eu conseguisse agarrá-lo, ele voou pela janela.

— Essa é a sua história?

— Sim — ela disse —, e cada palavra dela é verdadeira, eu juro.

— E você espera que eu acredite que o vidro da janela desceu sozinho?

— Eu juro que não toquei nele. Ele desceu sozinho.

Ele voltou a olhar para ela e balançou a cabeça como se a história fosse completamente absurda.

— Você acha honestamente que eu jogaria lixo na rua de propósito na sua frente? — Lucie perguntou.

— Moça — o taxista dirigiu-se a ela. — É melhor não discutir. Pegue a multa e vamos sair daqui.

O oficial de polícia franziu ainda mais a testa.

— Na verdade, eu estava querendo muito ler aquele jornal — Lucie continuou. — Um amigo meu escreveu um artigo nele.

O oficial olhou para o motorista e, em seguida, de volta para Lucie.

— Bem, você tem sorte porque eu o recuperei. — E saiu e retornou à sua moto.

— Ele pegou o jornal e vai voltar com uma multa — o taxista disse a ela. — E a multa é sua, moça. Eu lhe avisei.

— E continua me avisando — Lucie resmungou.

O oficial retornou e entregou o jornal a ela.

— Posso implorar por compaixão? — Lucie perguntou, juntando as mãos e olhando na direção dele. — Foi um acidente bizarro. Tenho certeza de que isso nunca voltará a acontecer.

Ele hesitou e, em seguida, acenou com a cabeça.

— Certo, vou deixar passar desta vez. Mas trate de não causar mais esse tipo de acidente estranho.

— Farei o meu melhor.

— Será mais fácil eu acreditar em você se subir aquele vidro — ele disse, balançando a cabeça.

— Eu tentei antes, mas estava emperrado.

— Tente outra vez.

Naturalmente, o vidro subiu sem o menor esforço. Lucie suspirou de frustração.

— Eu sei que parece que menti, mas falei a verdade. Palavra por palavra.

— Podemos ir agora? — o taxista perguntou.

— Vão e não pequem mais — o oficial disse, olhando diretamente para Lucie.

O taxista não precisou de nenhum estímulo. Deu partida no carro e saiu acelerado, jogando Lucie para trás contra o assento acolchoado.

Mercy soltou o ar dos pulmões e agarrou tanto Shirley quanto Goodness pelo braço.

— Vocês... sa-sabem quem... quem era aquele? — ela gaguejou.

— Sim — Will respondeu para todos. — Era um oficial da lei.

— Não, não era — disse Mercy, tremendo tanto que várias penas ameaçaram cair de suas asas. — Era o Gabriel. Ele olhou diretamente para mim.

— Gabriel? — Goodness levou a mão sobre a boca. — Como você sabe?

— "Vão e não pequem mais"? Que patrulheiro de Nova York iria dizer algo do tipo?

— Ele sabe que nós estávamos causando problemas a Lucie.

— O jornal, o jornal — Will gritou. — Lucie está lendo o jornal! — Como era de se esperar, Lucie tinha aberto a capa do jornal e estava analisando o conteúdo à procura do nome de Aren. — Ah, não — Will resmungou. — Depois de tudo que passamos...

Mercy o silenciou com um único olhar.

— Não se preocupe. É a edição de sexta-feira.

— De sexta? Você quer dizer que passamos por tudo aquilo por causa de um jornal velho? — Shirley afundou no assento ao lado de Lucie. — Estou velha demais para esse tipo de emoção — continuou levando a mão até o peito, na altura do coração.

— Não foi a edição de sexta-feira que voou pela janela — disse Will rapidamente. — Eu vi a data antes de me sentar e era definitivamente a edição de sábado.

— Então aquele era mesmo Gabriel — Shirley sussurrou. — Eu não fazia ideia de que ele intervinha em assuntos da Terra.

— Eu também não... Nunca soube que ele tenha feito algo parecido antes — Mercy continuou trêmula. — Você sabe o que isso significa, não sabe? — ela perguntou aos colegas Embaixadores da Oração.

— Hum?

— Conte-nos.

— Significa que Gabriel também não quer que Lucie leia aquele jornal antes de Aren conversar com ela. Ele está permitindo, ainda que de modo subentendido, que nós façamos o que for necessário a fim de que isso não ocorra.

— Gabriel? — Goodness repetiu como se estivesse chocada. — Você acredita mesmo nisso?

— Faz sentido, caso contrário ele teria nos puxado tão rapidamente para fora da Terra que nossas cabeças estariam girando até agora.

— E talvez ele ainda corte nossas asas — Goodness frisou.

— Minha nossa, minha nossa! — Shirley gritou. — Ouçam, vocês três, prossigam sem mim — ela pressionou a palma da mão contra a testa. — Eu não sei se consigo continuar suportando essa pressão. Acho que devo ter torcido minha asa batendo-a dentro deste táxi.

— Relaxe — disse Mercy, pegando na mão da amiga e alisando-a delicadamente. — Respire fundo e você ficará bem em questão de minutos.

— Posso fazer alguma coisa? — Will perguntou, demonstrando preocupação.

— Não, não, tudo deve ficar bem daqui a algumas centenas de anos-luz — Shirley o assegurou.

— Respire fundo — Goodness repetiu. — Respire bem fundo.

— Ah, já me sinto melhor.

O táxi parou em frente ao Encantos Divinos, e Lucie pagou a corrida e desceu do veículo. Então parou na calçada e olhou para a descida da rua. O olhar de Mercy seguiu o de Lucie e ela ofegou, recuperando o fôlego.

— O que é isso? — Goodness quis saber.

— Tem uma banca de jornal descendo a rua — Mercy explicou, atirando-se para fora do táxi.

Goodness e Will a seguiram.

— Não me deixem aqui — Shirley implorou e, de forma relutante, os seguiu.

Lucie desceu a rua caminhando, viu o jornal e abriu a bolsa, vasculhando em busca da carteira para pegar o valor exato.

— E agora? — Will perguntou, percorrendo com os olhos de cada uma das amigas.

— Agora é muito fácil — Mercy explicou. Ela se sentou numa pilha de jornais e cruzou as pernas, enquanto o proprietário da banca atendia outro cliente.

Lucie colocou o troco exato no balcão e tentou pegar o jornal. Como era de se esperar, ele não saiu do lugar. Ela voltou a mover os jornais, agora com mais ímpeto. Nada. O homem na banca estava atendendo dois jovens que vinham aparentemente causando problemas e a ignorou por completo.

Mercy cruzou os braços e aparentou satisfação consigo mesma.

Então, Lucie chutou os jornais e Mercy caiu de cima da pilha com o bumbum na calçada. Felizmente Will a substituiu de forma rápida.

Lucie ofegou e recuou dois passos, parecendo não entender bem o que tinha acabado de acontecer. Em seguida, pegou a bolsa pela alça, colocou-a de volta no ombro e tentou outra vez.

Will segurou com firmeza.

Outro táxi encostou diante do restaurante e, após alguns instantes, Wendy saiu dele. Ela ficou de pé ali e observou a filha tentando mais uma vez pegar o jornal, sem sucesso.

— Lucie? — Ela se virou e viu a mãe em pé, do lado de fora do Encantos Divinos. — Pensei que você chegaria aqui bem antes do que eu — sua mãe disse, juntando-se a ela.

— Mãe, quero ler o artigo de Aren, mas só tive problemas até agora. Você mal acreditaria no que vem acontecendo.

— Que droga! — Wendy olhou para o proprietário da banca.

— Se eu não soubesse das coisas, eu imaginaria estar perdendo a cabeça. E vi algo ultrajante acontecer no táxi também.

— Venha, você pode me contar sobre isso mais tarde, mas agora precisamos voltar ao restaurante. — Lucie hesitou, chutou a pilha de jornais pela última vez e se juntou à mãe. — Tenho certeza de que encontraremos um jornal usado dentro do restaurante — Wendy estava dizendo. — Você sabe como as pessoas sempre deixam esse tipo de coisa para trás.

Lucie concordou.

— Sei que parece loucura, mas é como se tudo estivesse conspirando contra mim.

Assim que elas viraram as costas, Shirley suspirou com intensidade.

— Foi por pouco.

Mercy, mal ouvindo a amiga, apontou para o jovem aprendiz.

— Will, entre no restaurante e certifique-se de que não haja nenhuma edição de sábado do jornal por lá.

— Entendido. — Ele partiu como um foguete.

— Eu irei ajudar — Goodness insistiu e voou atrás dele.

— Shirley? — Mercy perguntou. Sua amiga parecia pálida. — Você quer retornar ao céu?

Os olhos da antiga Anjo da Guarda arregalaram-se.

— E perder toda essa loucura? Acho que não.

Mercy sorriu para a amiga, que continuou:

— Além do mais, não quero ter que encarar Gabriel sozinha.

Por isso Mercy não a culpava. As duas juntaram-se rapidamente a Goodness e Will. Mercy estava surpresa com a grande movimentação no restaurante ainda no começo da noite. Lucie e a mãe deveriam agradecer por isso.

E ela tinha razão, pois Mercy ouviu Wendy dizer a Lucie alguns minutos depois:

— Todas as mesas estão reservadas e temos várias pessoas na lista de espera.

Lucie olhou por sobre seu local de trabalho. Catherine, que tinha frequentado a escola de culinária com Lucie e Jazmine e substituía Lucie em certas ocasiões e nos dias de folga dela, sorriu.

— Essa resenha negativa deve ter feito mais bem a você do que mal — comentou Catherine.

Lucie franziu a testa.

— Duvido.

— Todas as mesas, Lucie. Esse é o maior elogio que um local pode receber.

— Sim, suponho que sim, e embora a resenha possa não ter nos afetado, graças a nossos fiéis fregueses, eu ainda não seria capaz de perdoar Eaton Well por aquela primeira resenha.

— Lucie, você não é assim — Wendy disse, aparentando surpresa.

— Mãe, pense nisso. Não havia a menor necessidade daquele sarcasmo. Eu jamais desejaria a companhia de alguém que escrevesse algo tão sarcástico e cruel. Ele pareceu sentir prazer em derrubar a *chef*, que no caso era eu.

— Você conhece esses críticos. Eles gostam de bancar os espertões.

— À custa dos outros. Bem, eu, por exemplo, não acho isso divertido. Eles mexem com a vida das pessoas... Com tudo o que elas têm.

— Ah, Lucie, você precisa ser mais complacente — sua mãe a criticou.

— Não, não neste caso. Não serei.

Mercy ficou paralisada e olhou para os amigos.

— Vocês ouviram aquilo?

Os três assentiram com a cabeça.

— Temos que planejar algo — Goodness sussurrou.

— Sim, nós temos — Will concordou.

Capítulo 13

O celular de Aren tocou quando ele se sentou, bastante cansado, em frente à televisão. Ao olhar para o identificador de chamadas, ele viu que era sua irmã, Josie.

— Está afim de um filme? — ela perguntou.

— Obrigado, mas não. Estou exausto.

— Só de limpar o apartamento? — Josie brincou.

— Não, Lucie me ligou e perguntou se eu poderia dar uma mão a ela.

— Para fazer o quê?

— Se eu lhe contar, duvido que você acreditará.

— Experimente — Josie disse, soando divertida.

— Servimos 250 refeições no abrigo dos sem-teto do Exército da Salvação.

— Você? — ela não fez o menor esforço para disfarçar sua surpresa.

— Sim, eu, e não aparente estar tão chocada.

— Você nunca fez nada parecido antes.

Sua irmã tinha razão: Aren jamais se dedicara a algo do tipo. Ele já tinha pensado a respeito, mas não sabia bem como se engajar no voluntariado. O máximo que fizera fora colocar alguns dólares no balde vermelho na época de Natal. Esse era o limite de sua generosidade. Além disso, Aren fazia doações rotineiras a uma série de causas dignas, porém nunca se envolvera pessoalmente com nada. Sua necessidade de retribuir satisfazia-se naquela barreira confortável de um cheque colocado dentro de um envelope e jogado dentro de uma caixa de correio.

— Aparentemente, Lucie e a família atuam como voluntários no abrigo todos os anos.

— Sério? — Até mesmo Josie demonstrou estar impressionada. — E como foi?

Aren apoiou os pés sobre o sofá. Inclinando-se para trás, fechou os olhos e uma enxurrada de bons sentimentos passou sobre ele.

— A verdade é que, se Lucie tivesse me contado por que ela precisava da minha ajuda, eu provavelmente teria inventado uma desculpa para recusar. Eu me sinto mal com pessoas vivendo nas ruas, mas meu pensamento só vai até aí.

— Sim, o meu também. É meio pertubador, não é?

— Sim, com um problema de tal dimensão, o que uma pessoa pode fazer?

— É — Josie concordou.

— Bem, eu descobri. Consigo fazer muita coisa. Consigo servir 250 pratos de caldo de carne e vagem. Consigo sorrir e desejar um Feliz Natal a todos da fila. E, quando termino de servir, consigo ir até cada um e perguntar se precisa de algo a mais para beber.

— Você fez tudo isso?

— Fiz, além de ter ajudado a encher o lava-louça e deixar tudo pronto para a próxima refeição. E, embora esteja cansado, estou me sentindo igualmente bem.

— Uau, e você disse que Lucie faz isso todos os anos?

— É tradição familiar. Aparentemente, eles se dedicam ao voluntariado durante vários dias em dezembro. Lucie e a mãe cuidavam da comida, e, como se não fosse suficiente, Lucie teve que correr para chegar a tempo no restaurante.

— Ela está trabalhando um turno inteiro depois de passar a tarde toda no abrigo?

— Parece que sim.

Josie hesitou.

— Ela é especial, não acha?

Aren não precisou pensar duas vezes. Após seu casamento fracassado, ele vivia receoso quando o assunto era relacionamento. Já era ruim o bastante pensar que Katie tinha voltado com o antigo amor, mas o que mais o magoava, além da decepção, era como ele descobrira isso. Aren tinha surpreendido Katie na cama com o amante... Na casa e na cama que Aren dividia com a esposa. A cena que se seguiu permaneceria na mente dele pelo resto de sua vida. Ele pedira o divórcio, e Katie, na verdade, parecera grata pelo fim do casamento.

O pior de tudo foram os desdobramentos psicológicos. Aren sentia-se como alguém que levou um tombo feio de um lance de escadas e, a partir daí, sempre se agarraria ao corrimão, independentemente dos poucos degraus que houvesse.

— Eu sei que você gosta de Lucie — Josie continuou.

Ele não podia negar.

— Finalmente conheci a mulher que esperava encontrar. Lucie me dá a esperança de que posso voltar a me apaixonar. Ela me faz acreditar que posso confiar em outra mulher.

Josie soltou a respiração com um profundo suspiro.

— Katie o magoou mesmo, não foi?

— Pode-se dizer que sim.

— Mas, Aren, Lucie não sabe toda a verdade sobre você.

Esse era o único obstáculo em seu caminho. Ele esperava esclarecer as coisas no domingo, fosse antes ou depois do jantar.

— Ela logo saberá, e, se ela for metade da mulher que penso que é, então estará disposta a se esquecer daquela resenha.

— Eu não sei o que deu errado na primeira noite no restaurante — Josie complementou.

— Eu também não. — Ainda assim, Aren não mudaria nada da resenha em relação ao prato que lhe serviram. Em sua opinião, estava intragável.

— Já fui várias vezes ao restaurante depois daquela vez — Josie continuou. — E a comida está sempre incrível. Não consigo entender o que aconteceu naquela noite.

— Eu também não, e concordo com você. Lucie é extraordinariamente talentosa na cozinha.

— Ela não leu a coluna de Eaton Well no jornal de hoje, leu?

— Não, graças a Deus.

— O que aconteceu? Pensei que sua resenha estava programada para o próximo sábado.

— Eu também pensei. Ao que parece, Sandy Markus decidiu publicá-la esta semana após o artigo que escrevi sobre o que aconteceu no *Anjos no Natal*. Faz sentido, uma vez que eu acabei mencionando que fomos àquele restaurante assim que acabou a peça.

— Ela devia tê-lo alertado.

— Ela? Contar para mim? — Aren riu. — Sandy tem um jornal para publicar e o que acontece comigo quando um dos meus textos é impresso não significa nada para ela. Na cabeça dela, eu deveria agradecer pelo meu emprego. E eu sou grato por ele. Essa oportunidade tem sido maravilhosa.

Josie hesitou por um instante e, em seguida, perguntou:

— Tem certeza de que não vou conseguir convencê-lo a assistir a um filme?

— Hoje à noite não, mana.

— Certo, bem, acho que vou sozinha ao cinema, então.

Josie parecia de fato um pouco chateada. Nos últimos dias, ela raramente mencionava Jack, mas Aren sabia que a lembrança do fim do relacionamento permanecia recente na cabeça da irmã, embora tivesse ocorrido há mais de um ano.

— Que tal chamar um de seus amigos?

— É dezembro. Eles estão todos ocupados fazendo compras e passando tempo com a família. Esta é a vida de uma mulher solteira.

— Você teve alguma notícia de Jack? — Aren arriscou. Sua pergunta foi seguida por um breve e constrangedor silêncio.

— Nunca mais — ela respondeu sem entrar em detalhes.

Então Josie rapidamente mudou de assunto. Ela não parecia interessada em voltar a namorar. Vendo como a irmã estava sensível em relação a Jack, Aren arrependeu-se de trazer o assunto à tona.

Eles encerraram a conversa e, um tempo mais tarde, Aren aqueceu uma tigela de sopa enlatada e preparou um sanduíche de pasta de amendoim com geleia. Não conseguia deixar de pensar em Lucie e no quanto ela deveria estar cansada. Então resolveu ligar para ela na manhã seguinte e convidá-la para jantar fora em vez de fazê-la cozinhar. Ela precisava de um descanso. Desse modo, esperava que os dois tivessem um pouco de privacidade para discutir sobre o artigo e sobre a função de Aren no jornal.

Eram mais de 23h, e Aren assistia à TV quando a campainha tocou. Seu primeiro pensamento foi de que poderia ser Lucie, mas, após checar o olho mágico, viu que não era ela.

Ao abrir a porta, ele se deparou com Josie em pé, pálida e obviamente chateada.

— Ei, e aí?

Ela ignorou a pergunta dele.

— Tem um minuto para mim?

— É claro. — Ele acompanhou a irmã para dentro de casa e fechou a porta atrás de ambos.

Josie afundou no sofá e, em seguida, sentou-se bem na beirada da almofada. Pegando um lenço dobrado, ela focou a atenção em rasgá-lo em pedacinhos.

— Deve ter sido um baita filme — ele disse, tentando ser cômico.

— Eu... Eu não fui.

— Por que não?

Em vez de responder, ela vasculhou dentro da bolsa à procura de um lenço novo e o passou no canto de cada olho antes de assoar o nariz. Então sentou-se com o corpo ereto e, em seguida, endireitou os ombros.

— Adivinhe quem eu acabei encontrando? — perguntou, com um tom irreverente.

— Acho que não foi o Papai Noel e seus duendes.

Os olhos dela quase fecharam quando olhou fixamente para o irmão.

— Não. Encontrei Jack. Felizmente, acho que ele não me viu.

— Que Jack?

— Não tem graça, Aren. Não é hora para brincadeiras. Não está vendo que estou chateada?

— Tudo bem, tudo bem, desculpe. Então você viu Jack.

— Ele não estava sozinho — explicou. A essa altura, a coluna dela deveria estar tão rígida quanto o cabo de uma vassoura. O orgulho, ao que parecia, era ótimo para uma postura adequada.

— Jack estava com outra mulher? — Ah, a situação não deve ter sido fácil.

Josie acenou com a cabeça e, soltando os ombros, pegou um lenço novo.

— Jack e a mulher riam e brincavam um com o outro, curtindo à beça. E lá estava eu, completamente sozinha, numa fila para conseguir um ingresso para o cinema.

— Ah, Josie, sinto muito. — Aren arrependeu-se de não ter ido com ela, pelo menos para lhe dar um apoio moral.

— Me sinto uma perdedora total.

Aren sentou-se ao lado da irmã e apertou-lhe delicadamente o braço.

— Você sabe que isso não é verdade.

— Talvez não seja, mas foi assim que me senti. Aqui estou eu, solitária e infeliz, enquanto Jack...

— Jack seguiu com a vida dele — Aren completou.

Josie fez o mínimo esforço para sorrir.

— Grande coisa.

— Ela era bonita?

Sua irmã o encarou com um olhar que seria capaz de derreter criptonita.

— O que você acha?

— Incrivelmente maravilhosa — ele murmurou. Aren conhecia esse sentimento. O amante de Katie era fisiculturista, tão cheio de músculos que — por falar em criptonita — até o Super-Homem sentiria inveja. Os músculos mais fortes do corpo de Aren localizavam-se em seus dedos, de tanto digitar e escrever. Comparado ao homem pelo qual Katie o trocara, Aren sentia-se como um fracote de aproximadamente 45 quilos.

— Lamento por você, mana — ele se solidarizou com ela. — Você quer alguma coisa?

Josie ergueu a cabeça.

— O que você tem aí?

Infelizmente, Aren nunca fora de beber muito, por isso não costumava ter bebida alcóolica no apartamento.

— Cerveja, acho. Se eu tivesse chocolate, ofereceria.

— Eu não sei, Aren. Do jeito que estou me sentindo agora, não há cookies de chocolate no mundo que me ajudem a superar isso.

— Então você ainda o ama? — Na verdade, a resposta era bem óbvia, pelo menos para ele.

Pelo modo como ela hesitou, Aren pôde notar que ela ainda nutria intensos sentimentos por Jack, embora relutasse em admitir.

— Acho que sim. Pensei que conseguiria tirá-lo da minha cabeça, mas me enganei.

— Você já pensou em entrar em contato com ele? — Aquilo parecia uma solução óbvia para Aren.

Josie olhou fixamente para as próprias mãos e para os lenços amassados.

— Na verdade, eu quase fiz isso esta noite... Bem antes de ligar para você. Seria muito engraçado, não é? Jack teria se divertido com isso, agora que ele está namorando a Miss Universo.

— Pare. Você não é de se jogar fora, Josie. É inteligente e atraente, bem-educada e...

— É claro — ela zombou — que você diria isso, já que saímos do mesmo fundo genético.

Aren riu.

— Estou falando sério. Em minha opinião, você tem duas escolhas: pode tentar consertar as coisas com Jack ou seguir em frente com sua vida. A escolha é sua.

— Bem, é certo que eu não vou correr atrás de Jack. Isso é certeza.

— Então você não o ama. Na verdade, simplesmente não deseja que ele encontre outra pessoa. Quer que ele deseje você pelo resto da vida dele.

O olhar dela encontrou-se com o dele e, por um segundo, Josie aparentou estar chocada com o comentário de Aren.

— Nada disso. Eu me importo com ele.

— Não, você não se importa, principalmente se estiver disposta a desistir.

— Ele encontrou outra pessoa — Josie argumentou.

— Você não tem certeza disso — ele contra-argumentou com a mesma rapidez. — E se ele encontrou mesmo, e daí? Você também se importa.

— E daí? Claramente você não entende a situação. Eu vi Jack com outra mulher e posso lhe garantir uma coisa: ele não estava pensando em mim como eu vinha pensando nele.

Aren concluiu que os dois poderiam discutir sobre esse assunto a noite inteira e não chegariam a um consenso.

— Apenas quero dizer, mana, que, se você ainda tem sentimentos tão fortes, demonstre-os a Jack. Se você não os tem, então deixe pra lá. Faça o que estiver ao seu alcance para aprender com a experiência e seguir adiante.

Josie refletiu e balançou a cabeça como se aparentasse levar em consideração o conselho dele. Após alguns instantes, ela sussurrou:

— Sou muito orgulhosa para tentar falar com Jack... E, no final das contas, acabarei conhecendo outra pessoa também.

Aren compreendia a questão do orgulho muito bem.

— Sim, você conhecerá — ele disse com o tom mais tranquilizador que conseguiu, e esperava que isso fosse verdade.

— Você ouviu isso? — Will perguntou a Goodness. Os dois tinham deixado Mercy e Shirley com Lucie e a mãe. As amigas permaneceram atentas a Lucie para mantê-la longe da coluna de Eaton Well. Will e Goodness foram verificar o que se passava com Aren. — Temos que ajudar a coitada da Josie — Will disse, sentindo-se péssimo com o romance fracassado dela.

— Não podemos. Estamos estritamente proibidos.

— Mas ela está apaixonada, infeliz e magoada. Não é esta também nossa missão: confortar aqueles que sofrem?

— Somos Embaixadores da Oração, Will. Alguém tem que orar por ela primeiro.

— Ela não pode orar?

— É claro, mas aparentemente não está orando.

— Por que não?

Goodness encolheu os ombros.

— É engraçado. Alguns humanos são guerreiros da oração e há outros que só oram quando estão desesperados ou precisando muito de intervenção divina. Só assim eles gritam insistentemente para Deus em busca de ajuda.

— Nós respondemos a esses oradores desvairados? — Will quis saber.

— Fazemos o que podemos em curto prazo.

Will observou enquanto Josie abotoava o casaco e saía na fria noite. A sensação festiva dos feriados estava por todo lado, mas a irmã de Aren não parecia notá-la. Ela continuava de cabeça baixa e os ombros arqueados para a frente contra o frio e o vento.

Na esquina, ela parou em um semáforo vermelho, colocou a mão dentro da bolsa e puxou o celular. Por um longo tempo, manteve-se olhando o aparelho. Depois, olhou para o relógio, suspirou e o jogou de volta dentro da bolsa.

— Você acha que ela ia ligar para Jack? — Will perguntou.

— Não sei. Acho melhor voltarmos e nos informarmos sobre Aren.

Will olhou por sobre o ombro.

— Posso seguir Josie para garantir que ela chegará bem em casa?

Goodness mordeu o lábio inferior.

— Tudo bem, mas não deixe Mercy ou Shirley saberem que eu permiti que você fosse.

— Certo.

— Ah, Will?

— Sim?

Goodness bateu de leve com os pés de maneira impaciente.

— Você tem que ser menos sensível quando for lidar com humanos. Deus lhes concedeu o livre-arbítrio. Se nos envolvermos na vida deles, pode dar confusão.

— Mas Deus os ama.

— Ele ama muito. Ele sofre quando eles fazem escolhas erradas, mas Ele está determinado a deixar cada um dos humanos tomar sua própria decisão.

— Incluindo Josie.

— Incluindo Josie — Goodness repetiu.

— E Aren e Lucie.

— Exatamente — a Goodness, só lhe restava ter esperanças de que tudo saísse bem para o jornalista e a *chef* de cozinha.

Capítulo 14

— Você deve estar exausta — a mãe de Lucie a seguiu em direção ao quarto após seu turno no restaurante.

— Você também, mãe. —Wendy tinha trabalhado quase a mesma quantidade de horas que Lucie, apesar de seu estado clínico. Felizmente, Aren pôde ajudá-las a servir os sem-teto mais cedo naquele dia. Ele fora maravilhoso, realmente maravilhoso. Fizera questão de não deixar nenhuma delas carregar peso e levou para lá e para cá todos os potes pesados e os pratos. Aren começara a trabalhar com afinco desde que chegara, dando-lhes mais do que uma mão.

Foi bem mais do que a disposição dele em servir que tocou o coração de Wendy. Aren havia sido maravilhoso com os homens e as mulheres, conversando com eles, fazendo-os se sentir acolhidos, sempre lhes perguntando algo, puxando assunto. Ele se dispusera a ouvir quando tantos outros viraram a cara, e também fora ótimo com as crianças.

— Estou cansada, mas não fui eu quem ficou escravizando-se sobre um forno quente a noite toda.

— Mãe, eu amo o que faço.

Sua mãe a abraçou e depois seguiu para o próprio quarto. Sammy permaneceu pacientemente ao lado de Lucie, esperando-a, disposto a segui-la aonde quer que fosse.

Lucie tomou um banho demorado e se vestiu a fim de ir para a cama. Domingo à tarde ela prepararia o jantar para Aren, e já planejara uma refeição de que ele se lembraria por muito tempo. Anos atrás, sua mãe lhe dissera que o caminho para o coração de um homem era o estômago. Ela queria o coração de Aren. Apesar de todas as exigências de sua vida, da responsabilidade de fazer do restaurante um sucesso, Lucie não conseguiu deixar de se apaixonar por Aren. Ele era fácil de amar. A cabeça e o coração dela estavam cheios quando adormeceu.

Seus sonhos naquela noite foram dominados por Aren. Lucie despertou com o cheiro de café fresco.

— Bom dia, querida — Wendy disse quando Lucie chegou cambaleando à cozinha, esfregando os olhos de sono.

Automaticamente, sua mãe despejou café na xícara.

— Temos uma hora antes da igreja agora pela manhã. O Advento é a minha época favorita do ano. Amo cantar as músicas natalinas.

— Eu também. — Com tanta coisa a fazer em seu dia de folga, Lucie estava tentada a não ir ao culto de adoração. Seria fácil dar uma desculpa para sua mãe. Mas ela não deu, e ficou contente porque o culto foi inspirador.

Se a ela faltava o espírito natalino, trabalhar com os sem-teto no Exército da Salvação e frequentar a igreja davam-lhe mais do que precisava.

Depois da igreja, Lucie e Wendy arrastavam a decoração da árvore de Natal do depósito no porão do apartamento. Ela esperava que Aren não se importasse em ajudá-la a montar a árvore mais tarde. Seria divertido e romântico.

Antes que Lucie se dirigisse até o porão pela última vez, para trazer o último carregamento de decorações, Wendy anunciou que tinha planos para a tarde. Ela sairia às compras com uma amiga e talvez fossem assistir a um filme depois. Lucie não era boba. A mãe dava-lhe um presente: passar mais tempo sozinha com Aren.

Subindo as escadas, Lucie deparou com a vizinha.

— Feliz Natal, sra. Sullivan — ela disse, toda animada. Estava muito bem-humorada, invadida por uma feliz ansiedade por sua tarde com Aren.

— Feliz Natal, Lucie! — Sua vizinha mais velha arrastava uma caixa de lixo até o contêiner de lixo reciclável.

— Ah, esse é o jornal de sábado? — ela perguntou, olhando a data no jornal sobre a caixa.

— É, sim.

— Você se importaria se eu o lesse?

— Imagine, por favor.

Lucie apanhou o jornal e o colocou sob o braço enquanto subia correndo os degraus, ansiosa para procurar o nome de Aren. Ele pedira para que ela esperasse para ler, o que parecia certa tolice. Era a primeira vez que teria um artigo assinado, e ela estava orgulhosa.

— Consegui pegar o jornal de sábado — Lucie gritou assim que voltou ao apartamento. Após descer com a última caixa de ornamentos, ela puxou uma cadeira e espalhou o jornal sobre a mesa.

Mas, depois de passar por cada seção duas vezes, ainda não conseguira encontrar o nome de Aren em nenhum lugar.

— Não está aqui — ela disse, com as palavras envoltas por decepção. — Pelo menos não da forma que eu esperava.

— Como assim? — sua mãe quis saber.

— Bem, Aren comentou que escreveu um pequeno texto sobre a peça que vimos e o que aconteceu, mas não há nenhum texto assinado por ele, apenas uma nota para conferir a resenha do restaurante, só que ela não faz o menor sentido.

— Você leu a resenha do restaurante? — a voz de Wendy soou tão decepcionada quanto Lucie.

— Não — admitiu.

— Ele escreve na seção de esportes? — sua mãe questionou, como se Lucie estivesse procurando na seção errada.

— Não... Na verdade, ele nunca mencionou sobre o que escreve. — Agora que ela pensou a respeito disso, constatou que Aren sempre fora bem reservado quanto à sua função no jornal.

— Bem, confira a resenha do restaurante —Wendy sugeriu.

De qualquer forma, Lucie estava confusa.

— Ele não deve ter nada a ver com ela. A resenha é assinada por Eaton Well.

— Então não a leia — disse sua mãe, balançando a cabeça. — Toda vez que você olha a coluna dele fica chateada.

— Com razão. O homem é um idiota.

— Lucie, você não deveria dizer isso.

— Não consigo me controlar, mãe. Eaton Well quase nos arruinou. Ah, e olhe só — ela disse, apontando para a coluna. — Como é de se esperar, ele está escrevendo sobre o mesmo restaurante onde

Aren e eu jantamos na última quinta-feira. — Então, pegou o jornal e passou o olho sobre o artigo. Com menos de cinco centímetros de texto, os dedos de Lucie já pressionavam as bordas do jornal.

— Lucie, eu falei para você não ler a resenha. Toda vez você fica chateada.

Ela engoliu em seco, fechou os olhos e colocou o jornal de volta sobre a mesa. Lentamente, levantou-se e sentiu um nó se formar em sua garganta.

— Outra resenha negativa? — a mãe perguntou.

— Foi normal — ela respondeu, com a voz falhando levemente à medida que começava a perceber a verdade: Aren era Eaton Well. Por esse motivo ele queria que ela lesse o jornal apenas depois de conversarem. Ele pretendia contar-lhe que era o responsável por aquela resenha horrível sobre o Encantos Divinos. Na época, Aren não sabia que ela era a *chef* que lhe preparara a refeição. O linguado era um dos pratos assinados por ela, aquele do qual Lucie mais se orgulhava de ter acrescentado ao cardápio. E ele criticara o prato com uma linguagem tão rude que a ferroada perdurava na mente dela até aquele momento, depois de todas essas semanas.

— Lucie, está tudo bem com você? — Wendy lhe perguntou.

— Sim, mãe — ela estava em pé, embora não soubesse o que pretendia fazer ou aonde pensava ir. Era como se o cômodo repentinamente encolhesse, como se as paredes estivessem se aproximando dela. Lucie não tinha onde se esconder, nem para onde correr.

— A que horas Aren estará aqui? — a mãe perguntou.

— Ah... Não me recordo. — A cabeça de Lucie começou a girar. Aren logo chegaria ao apartamento. Seria impossível olhar para ele, sabendo o que ela sabia.

— Daqui a uma hora a Janice passará para me pegar. Você tem certeza de que não quer ajuda para decorar a árvore?

A árvore. Lucie tinha se esquecido completamente de que tinha concordado em decorar a árvore de Natal. Uma tarefa pela qual ansiava realizar na companhia de Aren. Agora, seria impossível.

— Eu monto a árvore, mãe, não se preocupe.

— Se Aren tiver outra ideia, não se incomode, está bem?

— Claro. — Ela caminhou até uma ponta da cozinha e voltou, perdida em uma névoa que se recusava a dissipar. Lucie precisava pensar, o que estaria fora de cogitação se Aren estivesse com ela.

Aren. Aren era Eaton Well.

Não foi fácil para Lucie dissimular sobre algo que ela deveria ter descoberto há muito tempo.

— Lucie, você está bem? Está tão pálida. Tem certeza de que está se sentindo bem? Eu posso ficar em casa, caso você queira.

— Não... Estou bem. Vá e divirta-se... Aproveite o dia.

— Eu vou. — Sua mãe zuniu, e correu para um lado e para outro, organizando as pilhas de coisas sobre a bancada da cozinha e preenchendo alguns cartões de Natal enquanto esperava a amiga chegar.

Lucie aguardou o momento propício até sua mãe sair. Então, chegando a uma decisão, pegou o telefone. O mais importante naquele momento era encontrar uma desculpa para manter Aren longe dali. Ela precisava pensar, absorver a verdade, descobrir o que fazer.

Aren atendeu ao telefone após o primeiro toque, e, ao ver que era Lucie, ele disse:

— Olá. Estou quase saindo de casa.

— Que bom que encontrei você, então — Lucie esforçou-se ao máximo para parecer que não havia nada de errado.

— O que foi?

Em um instante, ela teve uma ideia do que fazer.

— Eu andei pensando melhor...

Algo na voz dela deve ter traído seus sentimentos, pois Aren emudeceu de uma hora para outra. Lucie podia até ouvir o barulho de fundo: o som de um elevador abrindo as portas; o som apressado das portas se fechando e, em seguida, nada.

— Pensando em quê? — ele perguntou, soando tenso e indeciso, como se a testasse.

— Em nós. Quando nos conhecemos, há meses e meses, eu lhe disse que minha vida era muito corrida com o restaurante e tudo mais. A época para eu me envolver com alguém não poderia ser pior. E agora percebo que nada mudou desde então.

— Em outras palavras, você quer dar um tempo.

— Sim.

Ele silenciou por um longo tempo e, em seguida, com uma voz calma, perguntou:

— Você viu o artigo, não é?

— Sim. — Ela não iria mentir para ele.

— E agora você me odeia?

— Não. — Lucie nunca conseguiria odiar Aren. — Eu... eu preciso dar um passo para trás e reavaliar nosso relacionamento. Você não é a pessoa que pensei que fosse.

— Você está enganada, Lucie.

— Você foi cruel e maldoso na resenha que escreveu sobre o Encantos Divinos. Eaton Well não é uma pessoa bondosa... Ele acha que está sendo esperto e não está. Usa as palavras para derrubar as pessoas... O que você escreveu sobre o Encantos Divinos foi injustificável e...

— Eu fui honesto — ele disse, interrompendo o discurso dela.

— Minha comida é tão ruim assim? Você está me dizendo que o esforço e o investimento que eu e minha mãe fizemos no restaurante foi uma perda de tempo e que merecemos fracassar?

— Eu não escrevi nada sequer parecido com isso.

— Quem me dera não tivesse escrito. — Ele não respondeu, o que foi melhor. Discutir não levaria a lugar algum. — Você não respondeu a minha pergunta — ela continuou. — Agora me conte e seja verdadeiro. O linguado estava tão ruim assim?

Novamente, Aren hesitou como se estivesse procurando um caminho ao redor da verdade, a sua verdade.

— Todo mundo tem um dia ruim de vez em quando.

— Tão ruim assim? — ela repetiu, mais alto desta vez, de forma mais insistente.

Lucie sentiu o coração pulsar antes de ele responder:

— Sim, estava.

— Certo — ela quase engasgou. — Isso já me diz tudo.

— Lucie, você está sendo exagerada e injusta.

— Estou sendo injusta? Bem, olha quem fala!

— Certo, tudo bem, se você não quer mais me ver...

— Você deveria ter me contado quem você realmente é há muito tempo — ela argumentou.

— Eu não podia. Meu contrato não me permite lhe contar abertamente, então fiz o melhor que pude. Fui o mais honesto possível. Eu lhe contei por meio da única forma que podia, citando seus comentários na minha coluna. Eu sabia que, assim que você começasse a ler minha resenha, perceberia. Você não pode me culpar por ter enganado você.

Aren tinha razão, e, embora quisesse discutir com ele, Lucie não conseguia. Mas isso não mudava o fato de que ele era o homem que estivera disposto a arruinar o investimento dela e da mãe dela. E não conseguia ignorar tal acontecimento.

— Eu compreendo que você fez o seu melhor para não me enganar... — ela começou, e sabia que, como ele fora enganado pela esposa, não mentir lhe era fundamental. Entretanto, isso não alterava o fato de ele ser quem ele era.

— Mas... — ele disse, antecipando-se a ela.

— Mas não está dando certo, Aren. Não está dando certo.

— Eu não acredito em você.

— Como? — ela se enfureceu, ainda que Lucie não tivesse expectativas de que seria fácil lidar com isso. O que ela achou difícil foi o modo como ele a desafiou. Ela até previu que Aren reagiria com orgulho inflamado e defenderia suas atitudes. Em vez disso, ele demonstrou sensatez e serenidade, dificultando ao máximo o que precisava ser feito.

— Você me ouviu muito bem. Nosso relacionamento está dando certo e isso a amedronta. Você confiava em mim, mas, quando fiz uma objeção à sua comida, não soube aceitar a crítica.

— Você está tão errado que perde até a graça. — Não era uma questão de orgulho. O problema era que ela estava se apaixonando por Aren, o que tornava tudo mais difícil. Lucie sentia que o homem em quem ela não podia confiar chamava-se Eaton Well, e descobrir que os dois eram a mesma pessoa a obrigava a repensar o relacionamento deles.

— Eu duvido que esteja tão errado assim — ele replicou, soando completamente sereno. — Você está com medo.

— Certo, confesso. Estou com medo.

Ele se deteve como se não esperasse que ela fosse admitir os próprios medos.

— O que você está realmente dizendo, Lucie? Quer dar um tempo ou acabar com nosso relacionamento de vez?

— Eu... Eu acho que seria melhor se não nos víssemos mais.

— Nunca mais?

Lucie fechou os olhos e segurou o celular com ainda mais força. O aparelho já estava tão pressionado contra a orelha que chegou até a marcá-la.

— Eu... Eu não sei. — Aquele momento não era adequado para tomar esse tipo de decisão.

— Mas me deixar nessa situação parece muito injusto, não acha?

— Sim — ela teve que concordar.

— Então decida. Se você quiser dar um tempo, então damos um tempo. Podemos voltar a nos encontrar daqui a um mês ou dois.

— Eu... preciso de mais tempo.

— Três meses?

— Não sei — ela fechou os olhos.

Aren riu levemente, mas sem humor.

— Acho que entendi a mensagem. Você quer que eu desapareça completamente da sua vida, mas não tem coragem para dizer isso.

Lucie não sabia se era verdade ou não.

— Eu... Eu não sei o que dizer. Preciso de um tempo.

— Então use todo o tempo de que precisar. Mas não mudo de opinião em relação a minha resenha. Não sei o que aconteceu naquela noite com o linguado, mas, para, mim, ele jamais poderia ter sido servido. Você teve mais de 300 clientes que discordaram completamente de mim, e eu tive a oportunidade de jantar pela segunda vez no Encantos Divinos, e não me arrependi, pois a comida estava maravilhosa. Fiz uma resenha elogiando. Dei a você outra chance.

— Eu sei — ela sussurrou, sentindo-se péssima. Ele realmente escrevera uma resenha positiva, mas só depois de descobrir que ela era a *chef*.

— É uma pena você não estar disposta a fazer o mesmo por mim.

Antes que ela pudesse dizer qualquer coisa, Aren sussurrou:

— Até logo, Lucie. — E desligou.

— Como Lucie conseguiu pegar aquele jornal? — Mercy lamentou, observando os acontecimentos se desdobrarem do horizonte do Brooklyn, acima do apartamento de Lucie. — Quem estava encarregado de observá-la?

Will ergueu a mão com relutância.

— Ela estava no porão. Eu não cheguei nem a ver quem lhe deu o jornal. Lamento profundamente. E agora tudo está arruinado e mais uma vez é culpa minha.

Gabriel surgiu diante deles, chegando inesperadamente e sem fazer muito alarde.

— Então, como este romance entre Lucie e Aren está se desenvolvendo? — ele perguntou, embora Mercy tivesse uma forte suspeita de que ele já sabia a resposta.

Ninguém parecia disposto a responder.

— Ela acabou de dizer a Aren que não quer mais vê-lo — Shirley murmurou. — E é tudo culpa nossa.

— Nós sabotamos o molho do peixe que ela preparou e isso estragou os planos de Deus — Will admitiu.

— Esse é o problema — disse Gabriel, cruzando os braços sobre o maciço peito. — E um problema dos grandes. Existe um motivo muito bom pelo qual os Embaixadores da Oração são requisitados a não se envolver nos assuntos da Terra. E quando vocês se envolvem, as coisas saem do controle.

— Saem mesmo do controle — Shirley concordou. — E eu sou a culpada.

— Eu também tenho culpa — Goodness confessou.

— Todos nós somos culpados — Mercy concordou, e o pior de tudo é que elas tinham levado o jovem Will pelo caminho errado também.

— Podemos consertar essa situação? — Will perguntou avidamente.

Gabriel olhou para cada um deles.

— Acho que talvez seja melhor largar esse caso e deixar que Lucie e Aren o resolvam sozinhos — ele sugeriu.

— Mas eles conseguirão? — Mercy contestou em busca de uma resposta. Ela estava aflita porque duas pessoas que aparentemente se davam tão bem juntas chegaram a ponto de ficar nesse impasse. Ela queria ajudar, mas sabia que não poderia se atrever.

— A partir de agora, o que vai acontecer é com eles — disse Gabriel, fazendo em seguida um gesto completamente inesperado: afagou o ombro de Mercy com delicadeza. — Não é nossa missão compreender por que os humanos tomam tais decisões. Tudo é uma questão de livre-arbítrio.

— Mas Aren e Lucie foram feitos um para o outro — Will argumentou.

— Foram? — Gabriel questionou.

Infelizmente, Shirley, Goodness, Mercy e Will desconheciam a resposta àquela pergunta.

Capítulo 15

— **P**or que está tão carrancudo? — Josie perguntou quando Aren encontrou a irmã na manhã de segunda-feira. — Pensei que você tivesse passado o dia com Lucie e desfrutado o jantar que ela lhe preparou.

— Eu não fui.

— O quê? — Josie quase trombou no homem que estava à sua frente na fila do Starbucks. — Por que não? No sábado você só conseguia falar sobre a tarde que passaria com Lucie.

Isso não era inteiramente verdade. Quem não parara de falar fora sua irmã, lamentando a triste situação de sua vida após ter visto Jack. Aren queria ter sido um pouco mais simpático na ocasião, uma vez que no atual momento era ele que estava quase sendo rejeitado.

— Está tudo acabado entre nós — ele afirmou sem rodeios, como se a consequência disso não fosse significativa. Na verdade, ele só conseguiu pensar em Lucie depois de ter desligado o telefone. Ela demonstrara mais seus sentimentos. Não importava o que ele dissesse, Lucie não iria mudar de ideia. Ela queria um tempo, pelo menos alegara isso, mas Aren não precisava de uma bola de cristal para ler a mente dela. Lucie não queria mais nada com ele, só não fora forte o bastante para dizer isso.

Só pelo olhar do irmão, Josie descobriu o que tinha acontecido.

— Lucie leu a coluna, não é?

A fila do Starbucks começou a andar, e eles também.

— Sim, e por mais doce que ela aparente ser, perdoar não é de sua natureza.

Josie franziu a testa.

— E você não vai fazer nada?

O olhar de Aren fixou-se no da irmã.

— Não tenho escolha alguma.

— Espere só um minuto. Não foi você que me repreendeu sobre Jack e orgulho, dizendo-me que, se eu estivesse realmente apaixonada por ele, não poderia ficar sentada aceitando o fim do relacionamento?

— Eu disse tudo isso? — Aren queria devorar essas palavras, já que elas estavam de volta para corroê-lo.

— Isso e muito mais.

— Você me levou a sério? — Ele sabia que Josie não tinha levado, e agora, enxergando a situação no lugar dela, compreendia por quê.

— Na verdade, eu levei. — Como era sua vez na fila, Josie caminhou até o balcão e pediu café para os dois.

Aren não esperava que sua irmã fosse pagar a bebida dele. Mas, como ele fizera isso para ela recentemente, ao que parecia, Josie estava retribuindo.

O barista entregou a cada um eles um café grande e Josie pagou passando o cartão de débito. Eles começaram a se deslocar na direção do metrô quando Aren exigiu mais informações.

— Você falou com Jack?

— Ainda não, mas pensei muito sobre o que você disse. Você tem razão, Aren. Preciso encarar o fato de que me importo com

Jack. No entanto, preciso resolver se a dor que senti ao vê-lo com outra mulher foi verdadeira ou se fiquei simplesmente enciumada e zangada por ele ter se recuperado a ponto de voltar a se relacionar com alguém.

— O que você resolveu?

— Não decidi... Ainda.

Aren balançou a cabeça. Ele e a irmã certamente formavam um par magoado e abalado, e ambos relutantes em deixar o orgulho de lado.

— Estou começando a achar que seria melhor eu me concentrar na minha carreira — ele contou à irmã. — É melhor evitar qualquer relacionamento.

— Não seja tonto. Você quer uma esposa e uma família.

— Quem disse? — ele questionou.

— Eu. Você seria um maravilhoso marido e pai. Não pode deixar que essa maré de má sorte o atrapalhe.

— É mais do que má sorte. É carma. Todo relacionamento que já tive ou estive perto de ter acabou em chamas.

— Não é verdade. Veja o caso de Mary Jane Milton. Ela era louca por você no colégio.

— Eu a vi no nosso último encontro do pessoal do colégio. Casada, três filhos e outro a caminho.

— Viu só? Você não agiu rápido o bastante.

— Eu tinha 17 anos.

Eles chegaram à estação de metrô e Josie parou.

— Encontre-me para o jantar — ela insistiu.

— Vou trabalhar até tarde hoje — Aren murmurou. Ele sabia que a irmã queria ajudá-lo, mas esse lance com Lucie estava fresco em sua mente e ele preferia tirar alguns dias para cuidar das feridas.

— Certo, ligue-me quando terminar e nos encontramos em algum lugar conveniente.

— Eu...

— Não discuta comigo — ela disse, começando a descer os degraus. Já na metade, parou e olhou para trás. — Não me decepcione, Aren.

Não parecia que ele seria capaz de sair facilmente dessa situação, por isso resolveu tirar o máximo proveito: jantar com a irmã deveria ser seguro o bastante.

Felizmente, Aren manteve-se ocupado desde o instante em que entrou no jornal. As distrações o ajudavam a afastar Lucie de sua cabeça. Ele almoçou na própria mesa, engolindo o sanduíche de rosbife com molho de raiz-forte e uma xícara de café. Às 18h, ele estava cansado e mal-humorado. Jantar com Josie não o atraía muito, visto que ela certamente iria repreendê-lo. Aren queria apenas ficar de boca calada quando o assunto girasse em torno de conselhos, principalmente agora que Josie iria com certeza retribuir o que ele fizera antes.

Sendo um irmão dedicado, ligou para ela como prometido.

— Está com fome? — Josie perguntou.

Aren teve que pensar a respeito.

— Acho que sim.

— Ótimo. Encontre-me no local italiano que comentei com você. — E, em seguida, passou para ele as coordenadas.

— Você está fazendo compras?

— Sim, e não discuta.

Aren notou que dar uma desculpa não iria adiantar, então reconsiderou. Ele não teve nenhum problema em pegar um táxi e tentou ao máximo ignorar o clima festivo que permeava a cidade. Não com outros assuntos na cabeça. Não queria pensar em Natal. Não propriamente assuntos, ele admitiu, mas Lucie. Também tentou não pensar no doloroso diálogo, mas ele continuava em sua mente. Resultado: Lucie não sentia que poderia confiar nele. Alegava não conhecê-lo.

Josie estava esperando do lado de fora do restaurante quando o táxi de Aren parou no meio-fio.

— Este é um dos meus restaurantes prediletos em toda a cidade — disse Josie, como forma de saudação. — O molho vermelho deles é o melhor que já provei.

— Por que você não sugeriu comermos aqui antes? — Aren perguntou, afinal, ele costumava conversar sobre restaurantes com a irmã. Ela amava comida italiana, mas ele só conseguia se recordar da referência dela a esse lugar apenas uma vez.

Ela hesitou.

— Era o restaurante preferido de Jack e o meu também. Não sugeri antes principalmente porque não queria trazer à tona um monte de lembranças perturbadoras, por isso evitei vir até aqui desde o fim de nosso relacionamento, o que é uma besteira.

Aren hesitou.

— Você não tem medo de encontrar Jack aqui?

Josie balançou a cabeça.

— Ele provavelmente não quer correr o risco de me encontrar aqui, no lugar que costumávamos pensar como "nosso restaurante".

Aren esperava que sua irmã tivesse razão. Então, pensando melhor, talvez fosse até bom se Josie e Jack acabassem se encontrando por acaso. Se a reação de Jack fosse parecida com a de Josie, então talvez houvesse esperança para os dois. E se as diferenças pudessem ser acertadas entre os dois, o mesmo poderia ocorrer para ele e Lucie. Aren franziu a testa. Sua mente estava pregando-lhe peças bobas.

Aren segurou a porta para sua irmã entrar. Ela parou dentro do restaurante e sussurrou:

— Se Jack acabar aparecendo mesmo por aqui, abrirei um sorriso e fingirei que estou curtindo muito este momento da minha vida.

— Certo — Aren sussurrou de volta.

A recepcionista sorriu entusiasticamente quando viu Josie.

— Oh, senhorita, que bom vê-la por aqui.

— Que bom vê-la também — disse Josie. — A minha mesa favorita está disponível?

Aren não prestou muita atenção ao diálogo das duas mulheres, pois estava distraído pelos tentadores aromas vindos da cozinha. Por alguns instantes, fechou os olhos e respirou fundo. Uma mistura de alho e condimentos, tomates e manjericão. Se o aroma era um indício do sabor, ele estava preparado para experimentar.

Em poucos minutos, foram conduzidos até a mesa e receberam os cardápios. Mesmo antes de Aren ter a chance de examinar os pratos, *grissinis*[5] foram levados até eles.

— Os *grissinis* são assados aqui todas as tardes — Josie contou a ele. — Eles são divinos. Jack sempre dizia que poderíamos fazer nossa refeição apenas com eles.

[5] N.T.: Pequenos bastões torrados e secos de pão.

— Como é o ravióli? — ele perguntou, mais interessado em analisar o cardápio. Tinha que admitir que estava impressionado.

O olhar de Josie tornou-se pesaroso.

— O ravióli de queijo era o favorito de Jack. Ele o pedia toda vez que jantávamos aqui, e nós vínhamos pelo menos uma vez por semana.

— E você? O que você pedia?

Ela sorriu.

— Tudo. A comida é tão boa que eu queria provar um pouco de cada uma do cardápio. Já tinha provado todos os antepastos e as saladas e estava na metade das entradas quando nos separamos.

— Você tinha algum prato predileto?

— É justamente isso. Todo prato é simplesmente maravilhoso. Eu me sentia até inspirada a preparar alguns dos antepastos sozinha, sobretudo a berinjela enrolada, mas minhas tentativas nunca foram tão boas quanto as que provamos aqui, então continuamos a vir aqui toda semana.

O garçom aproximou-se para anotar o pedido deles, e Aren pediu o ravióli com recheio de queijo. Josie tinha acabado de dizer ao garçom que queria experimentar o espaguete de frutos do mar quando abruptamente ficou paralisada. Aren não precisava que ninguém lhe contasse que Josie vira Jack. Ele quase poderia garantir que isso aconteceria.

Apoiando-se na mesa, Aren perguntou:

— É a Miss Universo que está com ele?

Josie ficou de cabeça erguida e acenou levemente com a cabeça.

— Ah, sim, e ela está deslumbrante como sempre.

Como Aren estava de costas para a entrada, ele não conseguia vê-la, e, virando-se para observá-la, poderia chatear Josie, embora tivesse tentado.

Josie sorriu e acenou com a cabeça.

— Ele acabou de me ver — ela disse baixinho.

— E?

— E parece ter ficado perturbado. Bom. Agora ele sabe como eu me senti quando o vi no último sábado. — Josie inclinou-se na mesa e sussurrou: — Ria.

Aren piscou.

— Como?

— Não seja estúpido. Eu quero que você ria como se eu fosse a mulher mais engraçada e mais inteligente que você já conheceu na sua vida.

— Josie. — Aren não estava disposto a entrar no jogo.

— Por favor, Aren, faça isso por mim. Eu nunca mais lhe pedirei nada enquanto estiver viva. — Era uma história plausível. E Aren estava começando a pensar que a irmã arranjara todo esse encontro e ele tinha cegamente se envolvido nos planos dela. — Por favor — os olhos dela imploraram.

— Tudo bem, tudo bem. — Ele riu e forçou um fraco sorriso.

— Mais alto — Josie sussurrou.

— Isso é ridículo. — Ele deveria ter suspeitado que havia algo no ar quando Josie mencionou a mesa favorita e insistiu em se sentar de frente para a porta.

Para manter o clima de paz, Aren voltou a rir, desta vez com um pouco mais de energia.

Ela sorriu com uma expressão sonhadora.

— Perfeito.

— Obrigado.

Josie inclinou-se mais perto da mesa e ficou mais animada, rindo baixinho enquanto Aren tentava ao máximo não virar os olhos. Sua irmã estava indo longe demais. Ela pressionou a mão sobre o coração e sorriu para ele como se aguardasse cada palavra que Aren emitia.

— O mínimo que você pode fazer é cooperar — Josie disse contrariada quando ele olhou de volta para ela.

— O que Jack está fazendo agora? — Aren perguntou.

Josie aparentava estar extremamente satisfeita consigo mesma.

— Ele não conseguiu tirar os olhos de nós.

— Onde ele está sentado?

— Duas mesas à frente, encostado na parede.

Aren colocou o guardanapo sobre a mesa e, em seguida, levantou-se sem dizer uma palavra.

— O que você está fazendo? — Josie sussurrou enquanto um olhar preocupado aparecia em seu rosto. — Aren, se você fizer o que acho que está prestes a fazer, juro que nunca mais falarei com você.

Ele abriu um sorriso e encolheu os ombros.

— Eu teria tanta sorte.

— Aren — ela implorou freneticamente, meio que se levantando para impedi-lo.

Ele não tinha intenção de ser dissuadido. Sua irmã sentia-se infeliz e, se Jack não conseguira tirar os olhos dela, então Aren suspeitava que o ex sentia o mesmo que ela.

Dando as costas para a irmã, Aren atravessou a curta distância entre as duas mesas. Quando o viu se aproximando, Jack colocou o guardanapo de lado e se levantou. Apesar de ele ter uns dez centímetros a mais que Aren e pesar cerca de dez quilos a mais, o irmão de Josie não pretendia parecer superior.

— Você deve ser Jack — ele disse, estendendo a mão. — Aren Fairchild, irmão de Josie.

O outro homem abriu um sorriso na mesma hora.

Aren não se atreveu a olhar na direção de Josie.

— Parece que você e minha irmã tiveram um mal-entendido.

— Com licença — a acompanhante de Jack não parecia nem um pouco satisfeita. — Eu não sou invisível, viu?

Jack parecia ter se esquecido completamente dela.

— Ah, desculpe-me. Pamela, este é o irmão da mulher que mencionei antes.

— Está se referindo àquela que você dá um jeito de incluir em toda conversa?

Jack desviou o olhar e não respondeu.

— Parece que eu pedi o seu prato favorito. Logo será servido. Por que você não se junta à minha irmã e eu me apresentarei para Pamela?

— Espere um minuto. Eu não posso dizer o que penso sobre isso? — a acompanhante de Jack quis saber.

— Aparentemente, não — Aren respondeu. Jack já estava na metade do caminho até a mesa de Josie.

Aren puxou uma cadeira e sentou-se com Pamela. Achou-a bem bonita, mas dois minutos com ela e ficou óbvio que Pamela precisava de muita atenção. Após uns bons dez minutos, ela saiu depressa da mesa e disse:

— Diga a Jack que será melhor se ele não me procurar mais.

Aren acenou para ela.

— É melhor se você mesma contar isso para ele.

— Então contarei. Com prazer.

Como era de se esperar, Pamela caminhou com ostentação até a mesa à qual Jack se sentava com Josie. As cabeças deles estavam juntas e, seja lá qual o problema que tiveram, ele não se evidenciava naquele momento.

Jack levantou-se quando Pamela se aproximou. Aren não estava interessado no que a outra mulher tinha a dizer, mas aparentemente ela não queria mais nada com ele. Apenas saiu zangada.

Uma vez com a missão cumprida, Aren deixou uma gorjeta generosa na mesa antes de se levantar para ir embora. E sentiu-se mais do que em evidência ao notar que todos os olhos no restaurante estavam voltados para ele. Afinal, a especulação entre os clientes deveria estar difícil de conter. A caminho da porta, Josie chamou a atenção dele e mandou um beijo. Ele retribuiu com um aceno e foi embora.

Quando Aren entrou em seu apartamento, o local estava frio e escuro. Sentia-se bem por ter ajudado a irmã e Jack, imaginando que talvez apenas as tensões pré-casamento houvessem desviado os caminhos dos dois. Vê-los juntos deixou claro que nenhum deles estava feliz com a separação. Aren esperava que conseguissem resolver a diferença de uma vez por todas. Aproximadamente à meia-noite, seu telefone tocou, acordando-o de um sono profundo.

— Obrigada — Josie sussurrou.

— De nada. Posso voltar a dormir agora?

— Não. Você quer dar uma passada aqui, para conversarmos?

— Josie, estou na cama.

— Certo, seja um desmancha-prazeres, não me importo.

— Estou feliz por você. — E ele estava, mas naquele instante, cansado demais, queria voltar ao seu sonho... Um sonho que envolvia Lucie.

Capítulo 16

Era noite de Natal e Lucie deveria estar animada e feliz. Mas não estava. Ao contrário, seu coração pesava, desde o momento em que ela conversara pela última vez com Aren. Ele não tinha ligado para ela, e o orgulho não lhe permitiria uma tentativa de contato com ele. Lucie começou a seguir a coluna de Aren no jornal e percebeu que ele não era tão sarcástico como fora antes, pelo menos na cabeça dela. Ansiava por notícias dele, mas não recebia nenhuma.

Sua mãe entrou na cozinha onde Lucie estava sentada com sua xícara de café matinal. Sammy repousava aos seus pés.

— Vamos, querida, sorria — Wendy a estimulou. — É Natal — a felicidade de Wendy iluminava o ambiente.

— Eu estou sorrindo, mãe. E bastante agradecida por esses dias de folga. — Elas tinham decidido fechar o restaurante pelos próximos dois dias e Lucie via a folga com bons olhos. Ela não se sentia muito engajada no espírito natalino e adiara as compras e os embrulhos para a última hora.

Wendy pegou a cafeteira e despejou um pouco de café em sua própria caneca, sentando-se e verificando sua taxa de glicose no sangue. Sem dizer uma só palavra, ela se levantou e buscou uma jarra de suco de laranja.

— Você vai ligar para Aren? — perguntou como se fosse pouca coisa.

— Não.

Os ombros de sua mãe cederam de decepção.

— Por que não?

— Mãe, já passamos por isso uma dezena de vezes. Está tudo acabado entre nós.

— E é isso que você quer? — o olhar cético de sua mãe dizia tudo.

Lucie não respondeu pois ela desejava Aren, sentia saudades dele e queria muito que as coisas pudessem ser diferentes. Mas ele era quem era, e ela não poderia mudar isso.

— Pensei em ir até o centro da cidade hoje de manhã — Lucie comentou, esforçando-se ao máximo para aparentar ânimo e alto-astral. — Ainda preciso fazer algumas compras e resolver algumas outras coisas também.

— Não se atrase para o jantar — Wendy afirmou após Lucie pegar o casaco e a bolsa.

— Não me atrasarei.

Na verdade, o que Lucie mais queria era fugir e esquecer a noite de Natal. O que tinha ocorrido entre ela e Aren permanecia fresco em sua mente. Se ela se mantivesse ocupada, poderia se distrair o suficiente para tirar Aren da cabeça e ser capaz de apreciar a temporada de festas pelo menos um pouco. Essa era sua esperança. Um dia no centro da cidade deveria ajudar.

— Você vê como Lucie está se sentindo péssima? — Will perguntou a Mercy.

— Não pude deixar de notar — Mercy e suas duas amigas ficaram próximas ao seu jovem protegido enquanto Will seguiu Lucie pelo metrô que ia para Manhattan.

Will vinha se mostrando um aprendiz rápido, embora ainda estivesse tentado a intervir na vida dos humanos. Mercy reconhecia que ele herdara tal hábito delas três. Eles tentaram de fato seguir no caminho certo e, de alguma forma, tinham conseguido responder às orações como Deus quisera, mesmo que o caminho se tornasse tortuoso de vez em quando.

Assim que o metrô chegou à plataforma, Lucie saiu e subiu os degraus até a calçada de Manhattan. A cidade estava muito agitada, com as pessoas passando de loja em loja, todas aparentando ter uma tremenda pressa.

— É sempre assim na véspera de Natal? — Will perguntou, lançando-se pela multidão alvoroçada e se esforçando ao máximo para não colidir com alguém.

— Sempre — Shirley respondeu. — Às vezes é até pior.

— Mais agitado do que isso? — Will parecia achar difícil acreditar.

— Ah, sim, eu me lembro de um ano...

— Aonde Lucie está indo? — Will a interrompeu.

Mercy sabia que ele se sentia responsável pela confusão que desencadeara quando Lucie e Aren se conhecerem e queria, mais do que tudo, consertar as coisas. Mas ela não deixaria Will intervir. Gabriel fora bem específico. Lucie e Aren tinham que resolver a situação por si próprios, o que tornava a reconciliação ainda mais difícil. Ambos eram orgulhosos e teimosos.

— Ela vai mesmo ignorar Aren por todo o Natal? — Will quis saber.

— Ela o ignorou até agora — Goodness o lembrou.

— Ela não enviou nem um cartão de Natal para ele.

— Nada — confirmou Mercy.

— Aren enviou um cartão a ela? — Shirley perguntou. — Não seria nada de mais fazer um esforço.

— Concordo, ele deveria ter feito algo — disse Will. — Não dá vontade de chacoalhar esses humanos? Eles são impossíveis.

— Meu querido e jovem protegido, você só viu a ponta do *iceberg* quando se trata de humanos.

— Ponta do quê?

— Deixa pra lá — Goodness afagou o braço de Will. — Um dia nós lhe mostraremos o Ártico.

— Fica perto de Nova York?

— É um pouco mais ao norte — Mercy explicou.

— Os humanos de lá são tão teimosos quanto os daqui?

— Ah, sim, os humanos são iguais em qualquer lugar.

— Incrível. E Deus os ama mesmo assim?

— É difícil compreender, mas Ele os ama. É realmente incrível quando você pensa quão obtusos eles são.

— Aonde Lucie está indo agora? — Will perguntou, seguindo-a freneticamente dentro de uma loja.

— Ah, este é um dos meus lugares favoritos em todo o mundo.

— O que é isto? — Will gritou, saltando sobre a escada rolante atrás de Lucie.

— É uma livraria — Mercy respondeu e agarrou Shirley pelo cinto para mantê-la longe da seção infantil.

Shirley suspirou de decepção.

— Eu não iria me meter em nenhuma encrenca.

— Talvez, mas estou agindo com cautela por medida de segurança.

— O que Lucie está procurando? — Will indagou, permanecendo no encalço da *chef*.

— Creio que ela esteja procurando um livro especial para dar de presente — Goodness sugeriu. — Esta é uma livraria, como você pode ver.

— E das grandes, cheia de pessoas — Shirley passou voando.

— Olhe, Lucie encontrou um canto mais calmo e está se sentando.

— Vou me juntar a ela — Shirley insistiu. — Ficar correndo por aí está me desgastando.

— Acho que estamos todos um pouco exaustos.

— Vocês todos estão trabalhando duro, não acham? — Ao ouvirem o som da voz estrondosa de Gabriel, os quatro anjos saltaram e voaram em várias direções. — E, além disso, aparentam culpa — a voz dele ecoou tanto que foi de se admirar que as paredes não tremeram. — Há algo que desejam me contar?

Will, agindo com tal coragem nunca antes vista por Mercy, deu um passo à frente.

— Precisamos fazer algo, e rápido.

— Você quer dizer que precisamos intervir?

— Sim, sinto-me responsável por Lucie e Aren. Eu os apresentei um ao outro quando não estavam programados para se conhecer e agora deu tudo errado e eles estão separados e sofrendo.

Gabriel balançou a cabeça tristemente.

— Não é da nossa alçada. Aren e Lucie têm é que aprender uma lição sobre orgulho e teimosia. Se não conseguem resolver um problema secundário como este, então o relacionamento deles já está condenado. O amor consiste em aceitação e generosidade de espírito, e francamente não vejo isso em nenhum deles.

— Eu vejo — Will o desafiou. — Olhe para o que Lucie e sua mãe fizeram em prol dos sem-teto.

— E repare na disposição que Aren teve para cooperar e ajudar — acrescentou Goodness.

— Ele foi maravilhoso com as crianças — Shirley lembrou Gabriel.

— Sim, agora que vocês estão mencionando, percebo que ele foi.

— Viu só? Há esperança para Lucie e Aren — Will insistiu. — Se você nos deixasse ao menos...

— Não — Gabriel ergueu o dedo, interrompendo a fala de Will. — A intervenção está fora de cogitação.

Então, ele os deixou e Mercy observou os ombros do jovem Will afundarem de decepção. Olhando sobre o próprio ombro, Mercy abaixou o tom de voz.

— Não pretendo causar problemas, mas acho que tive uma boa ideia.

— Ela envolve Lucie e Aren? — Will perguntou, cheio de expectativa.

Ela ergueu a cabeça para um lado e falou mais baixo:

— Indiretamente, sim.

Goodness mostrou interesse na mesma hora.

— Agora soa promissor.

— Quem envolve, então? — Shirley permaneceu cética.

— Você verá — ela respondeu. — Sigam-me.

— Devo deixar Lucie? — Will perguntou, aparentando dúvida.

— Ela ficará bem. Confie em mim.

Will concordou, embora de forma relutante.

— Eu só espero que estejamos fazendo a coisa certa — comentou Shirley, a última a dar as costas para Lucie. — Já me envolvi em muitos problemas antes dando ouvidos a Mercy.

— Estou com uma sensação boa quanto a isso — Goodness acrescentou. — Mercy tem boas ideias.

O celular de Lucie tocou, indicando que ela recebera uma nova mensagem de texto. Então levou a mão ao bolso lateral de sua bolsa e pegou o aparelho, sem reconhecer o número. Pressionando a tela com o dedo, ela leu a mensagem: **Às 16h no topo do Empire State Building.**

Franzindo a testa, Lucie enfiou o celular de volta na bolsa enquanto refletia sobre quem poderia ter lhe enviado a tal mensagem. Primeiro pensou em Aren. Mas não era. Ela teria reconhecido o número dele.

Bem, ela não iria. Seria ridículo. Ela ainda precisava resolver várias coisas. Planejava jantar com sua mãe mais tarde, e à noite as duas iriam até o culto de Natal da igreja. Já estava tudo acertado. Não haveria tempo em seu dia para alguém fazê-la de tola no Empire State Building.

Ela estava determinada a não ir.

Dez minutos depois, no entanto, olhou para o relógio: 15h33.

Mesmo que quisesse, nunca conseguiria chegar ao Empire State Building a tempo, e conseguir um táxi na cidade, àquela hora do dia, em plena véspera de Natal, seria quase impossível.

Mal acabara de pensar quando um táxi se encostou ao meio-fio, ao seu lado. Uma mulher desceu do veículo.

Lucie olhou admirada por não ver ninguém correr para pegá-lo.

— Vai entrar ou não, senhorita? — o taxista quis saber. — Tem gente me esperando.

Olhando ao redor, Lucie levou a mão na altura do peito.

— Você está falando comigo?

— Você acenou para mim, não acenou?

— Ah... Não.

— Então está bem.

Ele começou a se afastar, mas Lucie o impediu. Correndo apressada por alguns degraus, alcançou-o e abriu a porta do passageiro.

— Você consegue me levar ao Empire State Building até às 16h?

— Com este trânsito? Você não está falando sério, está?

— Faça o que puder. — Lucie não pretendia seguir as instruções da mensagem de texto e, ao mesmo tempo, não conseguia se conter. Mesmo que não fosse Aren o responsável pela mensagem, ela precisava saber quem a enviara e por quê.

O taxista movia-se lentamente no pesado trânsito.

— Será um milagre se conseguirmos chegar a tempo para seu compromisso às 16h.

— Dê o melhor de si... Se não der tempo, não deu. — Até esse momento, Lucie não sabia bem por que estava no táxi. A ideia parecia brincadeira de alguém, e bem sem graça. Talvez Aren estivesse por trás, atraindo-a para lá a fim de mantê-la esperando, assim como ela fizera com ele em janeiro.

Mas, ao ser envolvida por esse repentino pensamento, ela já sabia que Aren jamais agiria assim. Não era da natureza dele fazer algo tão cruel.

Talvez fosse a esperança que a convencia a se deslocar até lá. Uma espécie de esperança confusa que a fazia acreditar que, de alguma forma, ela e Aren poderiam se acertar.

— Nossa, dá para acreditar nisso? — o taxista sussurrou.

— Como? — Lucie disse, inclinando-se para a frente. Como estava envolta em seus próprios pensamentos, ela não tinha ouvido o motorista.

— Quinta Avenida — ele disse, gesticulando para ela olhar pelo para-brisa.

Lucie olhou, mas não viu nada.

— O que tem?

— Está livre. É como repartir o Mar Vermelho. Tenho uma pista toda só para mim. Já dirijo táxi há quase 20 anos e nunca vi algo parecido. Parece até que estou sob a escolta da polícia.

— Ah — Lucie não sabia bem o que dizer.

— Tem um anjo no seu ombro ou algo parecido? — ele voltou a falar com Lucie.

— Não... Eu acho que não — Lucie estava começando a pensar que tinha uma espécie de carma louco quando o assunto era táxi. Sua última experiência fora igualmente inexplicável, com o jornal voando ao seu redor e os vidros das janelas subindo e descendo por conta própria. E agora isto. Ela observou enquanto o tráfego parecia se abrir apenas para eles.

Num piscar de olhos, o táxi encostou ao meio-fio do lado de fora do icônico arranha-céu. O motorista coçou a lateral da cabeça, completamente atônito.

— Eu não acredito, mas faltam cinco minutos para as 16h. Chegamos aqui ao centro pegando um baita trânsito em um tempo inacreditável. Eu diria que é um milagre de Natal, mas não vou dizer uma palavra para ninguém. Quem acreditaria em mim?

— Cinco minutos antes — Lucie repetiu para si mesma, em estado de choque.

Ela pagou ao motorista e desceu do táxi. Em pé, na rua, segurou o chapéu de tricô e olhou para cima na direção do arranha-céu.

Agora que estava ali, ela poderia descobrir o que significava aquela mensagem enigmática. A fila para comprar a entrada para o passeio de elevador e, consequentemente, para a vista do 102º andar movia-se rapidamente. A mulher que vendia os ingressos olhou para o relógio.

— Estamos fechando às 16 horas hoje, já que é véspera de Natal.

— Prometo que não vou demorar.

A mulher entregou a Lucie o ingresso, e ela se moveu com os outros à espera do que deveria ser o último passeio do dia no elevador. Ela já estivera no último andar uma vez, mas isso fora há anos. Se Lucie bem se lembrava, acontecera em uma excursão escolar com sua turma do quinto ano. Embora jovem, ela se impressionara com a história do prédio, inaugurado em 1931, logo após o início da Grande Depressão.

Ao sair do elevador, Lucie imediatamente se dirigiu para fora do edifício. As luzes da cidade começavam a ser acesas, e ela se encantou com a incrível visão em 360 graus. Embora tivesse prometido à mulher que vendia os ingressos que não demoraria, Lucie sentiu-se atraída por aquela visão. A tristeza que se abatera sobre ela desde a última conversa com Aren sumiu. De repente, ela percebeu o que tinha que fazer.

Precisava ligar para Aren. Quando eles se falaram pela última vez, Lucie alegou que necessitava de um tempo. Bem, já tivera seu tempo.

Vasculhando a bolsa, ela pegou o celular e correu o a lista de contatos até encontrar o nome de Aren. Um sorriso iluminou-lhe o rosto quando iniciou a ligação.

O telefone tocou quatro vezes e, em seguida, caiu na caixa postal.

Capítulo 17

O que mais surpreendeu Aren foi a quantidade de pessoas que tinha se dirigido até o topo do Empire State Building em plena véspera de Natal. Embora fosse quase fim de expediente e os guardas estivessem olhando para os seus relógios, ninguém parecia estar com pressa de ir embora. Principalmente ele.

Mais cedo naquele dia, Aren recebera uma mensagem de texto de Jack pedindo-lhe que o encontrasse ali às 16h, mas Jack não estava em lugar algum.

Não demorou muito para Aren descobrir o motivo por detrás do pedido de Jack. Assim, suspeitava que Jack estava prestes a devolver a Josie o anel de noivado que ela lhe entregara após o rompimento. Aren não poderia estar mais feliz pela irmã.

Olhando para seu relógio, ele analisou a área e encolheu os ombros. Um dos guardas anunciou que o terraço seria esvaziado dentro de quinze minutos. A multidão começou a se diluir conforme várias pessoas se dirigiram até o elevador. Seria a mesma coisa que sua irmã se atrasar para o próprio noivado. O engraçado era que tanto Jack quanto Josie estavam atrasados.

Alguma coisa imprevisível deveria ter acontecido. Aren pegou o celular a fim de ligar para Jack e saber o que ocorrera. Para sua surpresa, ele descobriu que tinha desligado o som do aparelho sem querer e notou o registro de várias ligações perdidas. Ao verificar os números, preocupado com o que fazia, Aren se chocou com uma pessoa atrás dele.

— Desculpe-me — ele disse, virando-se para se desculpar. As palavras congelaram em seus lábios. — Lucie?

— Aren?

— O que você está fazendo aqui? — ele perguntou, com a cabeça a mil.

— Eu recebi uma mensagem...

Ela recebeu uma mensagem?

— Eu também.

— Não reconheci o número do telefone... Eu não viria, mas daí, quando percebi, estava dentro do táxi e o motorista disse que seria impossível chegar aqui antes das 16h, mas conseguimos, e ele afirmou que era um milagre de Natal, como a divisão do Mar Vermelho, que acho que não ocorreu em dezembro, mas não estou muito certa disso. — Ela parou abruptamente ao notar que estava tagarelando. — Ah, Aren, Aren, estou tão feliz em vê-lo. — E então Lucie jogou os braços ao redor do pescoço dele.

Sem esperar essa reação, Aren deu dois passos para trás. Não entendia o que acontecera ou como eles acabaram no mesmo lugar e na mesma hora, mas procurar os porquês não passava por sua cabeça naquele momento. Ele estava alegre demais para se importar. Envolvendo a cintura de Josie com os braços, Aren fechou os olhos e puxou-a para perto de seu corpo.

Ela lhe disse que recebera um milagre de Natal em um trajeto maluco de táxi. Bem, Aren também tivera um milagre, e este era

Lucie grudada nele e tagarelando tão rapidamente que ele mal conseguia compreender uma palavra.

— Eu estava sendo boba e tola e...

Aren a tranquilizou, silenciando-a ao colocar o dedo nos lábios dela. Na mesma hora, Lucie parou de conversar e piscou várias vezes. Sorrindo para ela, Aren afastou o cabelo dela da frente do rosto.

— Nós dois estávamos sendo bobos e tolos — ele disse.

— Minha vida está uma loucura... O restaurante é tudo para mim. Ele tem que dar certo, mas também não consigo me distanciar de você. Simplesmente não consigo.

— Que bom. — Ele a beijou, sentindo como se há meses não experimentasse algo sequer próximo à felicidade que o invadiu com Lucie em seus braços. — Eu também não consigo me distanciar de você.

— Eu tentei ligar para você.

— Quando?

— Agora há pouco, mas caiu na caixa postal, e eu pensei... eu presumi que você não queria falar comigo e pensei que tinha estragado tudo.

— Meu celular ficou sem som. Eu não me lembro de ter tirado o som, mas aparentemente o fiz.

— Quem enviou a mensagem para você? Não sei quem a enviou para mim — Lucie perguntou, olhando para cima na direção dele, com os olhos cheios de felicidade.

— Jack.

— Quem é Jack?

— O futuro marido de Josie. Eles reataram recentemente. Eu achei que ele iria propor casamento a minha irmã pela segunda vez.

— Pela segunda vez?

— Nem queira saber. É uma longa história.

Lucie procurou o celular no bolso lateral externo de sua bolsa e mostrou a mensagem a Aren.

— É este o número do Jack?

Aren olhou para o número e franziu a testa.

— Não. Esse número é da minha irmã.

— Como a Josie conseguiu o meu número?

— Não faço ideia. — Josie ter o contato de Lucie era um mistério para ambos. — O que eu posso lhe dizer é bem óbvio: minha irmã e Jack se juntaram para nos unir novamente.

— E funcionou. Ah, Aren, Feliz Natal!

— Feliz Natal, meu amor.

— Seu amor. Isso significa que você está disposto a nos dar outra chance?

— Definitivamente.

Lucie piscou para conter as lágrimas.

— Eu juro, este é o melhor Natal da minha vida.

— Da minha também. — Fechando os olhos, ele beijou a testa dela. — A última vez que estive aqui fiquei esperando você, na expectativa de que você apareceria. Desta vez eu não tinha nenhuma esperança de vê-la e cá está você.

— Estou tão contente por estar aqui... E ainda mais feliz por você estar também.

— Que bom!

Então, como se de repente Lucie tivesse começado a entender, ela disse:

— Você virá para casa comigo, não virá? Mamãe ficará extasiada ao vê-lo. Ela preparou o jantar mais maravilhoso de todos.

Haverá muito mais comida do que nós duas aguentaríamos comer, então diga que você virá, e mais tarde iremos à igreja. A música é tão linda e não consigo pensar em uma pessoa melhor para passar a noite de Natal do que você.

Aren também não conseguia pensar em algo melhor para fazer.

— Você fará a ceia com a gente, não é? — os olhos dela arregalaram-se enquanto implorava a ele.

Aren concordou com um movimento de cabeça.

Lucie o abraçou com força.

— Eu vinha me sentindo muito infeliz, mas extremamente teimosa para admitir. Aprendi tanto sobre mim mesma. Aren, ah, Aren, eu fui tão idiota.

— Eu também fui.

— Não — ela contestou, pretendendo assumir a culpa. — Você foi mais do que sensato, e eu fui...

Ele a interrompeu da única forma que pôde: pegando-a em seus braços e beijando-a exageradamente até serem interrompidos pelo guarda.

— Ei, pessoal, eu odeio interromper um momento romântico, mas estamos fechando por hoje.

— Ah, desculpe — Lucie falou baixinho.

Aren a envolveu pela cintura. Juntinhos, eles pegaram o elevador expresso e desceram até o térreo. Assim que saíram do local, Aren pegou o celular.

— Para quem você está ligando? — Lucie perguntou.

— Para minha irmã, já que ela arrumou tudo isso. — Então passou o dedo sobre a lista de contatos e desceu até o nome dela. O telefone tocou três vezes antes de Josie atender.

— É melhor que seja importante — ela sussurrou. — Jack está aqui e ele acabou de me devolver meu anel de noivado.

— Eu queria agradecer-lhe, na verdade eu e Lucie queríamos fazê-lo.

— Ah... por quê?

— A mensagem de texto que você mandou para ela e a mensagem que Jack enviou para mim.

— Que mensagem?

— Ah, Josie, chega disso. Lucie recebeu a sua mensagem e eu recebi a que Jack enviou. Nós dois nos encontramos no Empire State Building exatamente como vocês planejaram.

— Espere aí, mano. Eu não mandei nenhuma mensagem para Lucie.

— Não mandou? — Aquilo não estava fazendo o menor sentido. — Verifique o seu celular, está bem?

— Claro, mas não adiantará. Sei o que enviei e não foi nada sobre Empire State Building. Aliás, como eu teria o número de celular de Lucie?

Boa pergunta, pois Aren já tinha pensado nisso.

— Certo — ele disse. — Acho que houve mais de um milagre de Natal. Parabéns para você e Jack. Eu vou até a casa de Lucie para a ceia e depois iremos à igreja, mas falo com você pela manhã.

— Feliz Natal, Aren.

— Feliz Natal. —Josie parecia a mulher mais feliz do mundo. Ele compreendia, porque ele próprio estava nas nuvens.

...

— Você quer me explicar como Josie pegou o número de celular de Lucie? — Gabriel perguntou a Mercy e a seus amigos. Eles tinham se reunido na galeria do coro da igreja do Brooklyn para o culto de Natal. Aren, Lucie e Wendy se sentaram no banco do meio, do lado esquerdo.

Aren e Lucie dividiam um hinário, as vozes harmonizando-se lindamente ao cantarem a clássica canção natalina *Noite feliz*. Infelizmente eles ainda não conseguiam ouvir o coro de anjos, que estava além de qualquer coisa terrestre, mas um dia eles conseguiriam.

— Ah...

— Mercy, por que eu penso que isso é coisa sua? — Gabriel a pressionou.

— Nós tínhamos que fazer algo — Will explicou. — Eu me sentia pessoalmente responsável por essa confusão, então ajustamos algumas de suas instruções e deu certo.

— O que irá acontecer com eles? — Goodness intrometeu-se. — Você sabe o futuro. Nós não sabemos.

— Responda à minha pergunta antes — Gabriel exigiu.

— Bem, você disse que não poderíamos interferir na vida deles — disse Will, embora a lembrança fosse desnecessária.

— Interferir *novamente* na vida deles — Gabriel o corrigiu.

— Certo — Will complementou.

— E então...? — Gabriel fixou o olhar em Mercy.

— Por que você está olhando para mim? — ela perguntou, esforçando-se para parecer inocente como um botão de rosa.

— Porque você sempre foi a líder do grupo quando o assunto é fazer arte.

— Eu? — Mercy ficou claramente ofendida. Dos quatro, ela era a que mantinha todos sob controle. — Isso é extremamente injusto — protestou. — Eu já evitei mais interferências na Terra do que você imagina.

— É verdade — Goodness comentou, em defesa de Mercy.

— Mercy fez o melhor para nos manter na linha.

Gabriel franziu a testa.

— Aparentemente com pouco sucesso.

As asas de Mercy afundaram até o chão.

— Devo... Você quer que eu...

— Mercy, não — Goodness gritou e colocou-se ao lado da amiga.

— Se alguém deve ir, então serei eu — Shirley insistiu, colocando-se ao lado de Mercy.

— Ou eu — Will intrometeu-se. — É possível que eu consiga uma transferência.

Gabriel ergueu a mão, dando fim à tagarelice.

— Considerando a época, acho que podemos fazer vista grossa a certas transgressões.

— Podemos? — Mercy perguntou com o coração cheio de esperança. Aparentemente Gabriel estava de bom humor.

— É que vocês não fizeram nada absurdo, como sequestrar um camelo e conduzi-lo para fora de um teatro, certo? Isso seria inexplicável.

Goodness prendeu a respiração por tanto tempo que correu o risco de ficar roxa. Mercy deu um tapa nas costas da amiga, e Goodness expeliu o ar com tanto barulho que o órgão de tubos soltou um si bemol sozinho. Várias pessoas na congregação viraram-se na direção da galeria do coro.

— Poderia ter sido pior. Certo? — Gabriel perguntou, batendo o dedo do pé impacientemente. — Os quatro olharam fixamente para os pés como se procurassem um botão perdido, olhando em todas as direções, exceto na de Gabriel. — Certo? — Gabriel voltou a indagar.

— Certo — Mercy respondeu em voz baixa.

— Um de vocês poderia ter feito alguma loucura, como interromper uma peça da Broadway e içar os atores no ar sem nenhum meio de suporte visível.

Mercy engoliu em seco, constrangida.

— Nós jamais faríamos algo assim — Goodness murmurou.

— Ou tocar a tuba.

— Eu não toquei a tuba — Will insistiu. — Eu só olhei para ela. — Então, percebendo o que tinha dito, ele levou a mão ao rosto e a bateu na boca.

— Bem, meus amigos — disse Gabriel, agora sorridente. — Apesar de tudo, vocês conseguiram atender à oração de Wendy. Lucie e Aren estão juntos e conseguiram se encontrar no Empire State Building.

— O relacionamento deles irá durar? — Will quis saber.

Gabriel acenou com a cabeça.

— Sim. Eles se casarão em outubro do ano que vem.

— Ah, que bom.

— Filhos?

— Dois. Um menino e uma menina.

— E o restaurante?

— E o Aren? Ele continuará a escrever para o jornal?

— Uma pergunta por vez, meus amigos — Gabriel disse, inclinando-se sobre o parapeito do coro para observar Aren e Lucie lá embaixo. Ele sorriu e, em seguida, virou-se para olhar para os quatro Embaixadores da Oração. – O restaurante prosperará extraordinariamente bem e o investimento de Wendy pagará grandes dividendos. As duas venderão o Encantos Divinos daqui a cinco anos, pelo dobro do que gastaram, após Lucie dar à luz a filha.

– Isso é maravilhoso, mas o que Lucie fará sem o restaurante? Ela ama cozinhar.

– Ela não abandonará a carreira totalmente. Virará uma desenvolvedora de receitas para algumas das celebridades *chefs* mais famosas dos Estados Unidos. É o emprego perfeito para ela, pois poderá ficar em casa com as crianças.

– E Aren?

– Agora vocês se surpreenderão um pouco.

– Como? – Goodness perguntou.

– Aren sairá do jornal pouco depois de vender seu primeiro romance.

– Aren escreve ficção?

– É uma paixão secreta. Ele vem trabalhando nesse livro durante o tempo livre de que dispõe há vários anos e, quando começar a vendê-lo, será um sucesso imediato, muito mais do que ele e Lucie poderiam imaginar.

– Ele consegue um contrato para adaptá-lo para o cinema? – Goodness questionou. – Ah, Gabriel, podemos participar dele? Podemos, hein, podemos?

O olhar que Gabriel lançou a ela foi suficiente para todos entenderem a resposta.

– Isso é simplesmente maravilhoso – Mercy esfregou as palmas de alegria. Era ainda melhor do que ela imaginara.

— Eles terão uma boa vida juntos, assim como Josie e Jack — Gabriel estendeu suas enormes asas sobre os quatro. — Vocês estão prontos para retornarem ao céu? — ele perguntou.

— Estamos — Mercy respondeu pelos quatro.

E, assim, eles retornaram aos reinos da glória. Ao se aproximarem de lá, Mercy pôde ouvir melodias de música diferentes de tudo que ouvira na Terra. A celebração de uma criança nascida em um estábulo há mais de 2 mil anos estava apenas começando.

Biscoito de chocolate com menta

8 bastões doces de tamanho médio
340 g (aproximadamente duas xícaras) de chocolate meio amargo de boa qualidade (barras ou lascas)
340 g (aproximadamente duas xícaras) de chocolate branco (barras ou lascas). Prefira os feitos com manteiga de cacau.

Triture os bastões doces usando um saco plástico e um rolo de macarrão ou um processador de alimentos.

Cubra uma assadeira com papel alumínio. Derreta delicadamente o chocolate meio amargo em uma panela em banho-maria ou em uma tigela dentro do forno micro-ondas à metade da potência. Inicie com um minuto na metade da potência, mexa e prossiga com ciclos repetitivos de 30 segundos a potência média — mexendo entre os ciclos — quantas vezes forem necessárias até derreter e sumirem as saliências. O derretimento moderado evita a queima e ajuda a preservar a consistência do chocolate. Despeje o chocolate meio amargo derretido sobre o papel alumínio e o espalhe numa área de 20 x 25 cm. O tamanho pode variar. Você pode fazer o biscoito mais grosso ou mais fino, fica a seu critério. Refrigere a camada de chocolate meio amargo enquanto você prepara a camada de chocolate branco com menta.

Derreta o chocolate branco usando o mesmo método de derretimento utilizado para o chocolate meio amargo. Uma vez derretido o chocolate, acrescente cerca de ¾ do doce de menta triturado e mexa. Deixe a mistura de lado à temperatura ambiente (para resfriar um pouco) até que a camada de chocolate meio amargo fique pronta. O chocolate deve estar um *pouco* macio, um pouco pegajoso, mas *em nenhuma hipótese* líquido.

Despeje o chocolate branco sobre a camada de chocolate meio amargo e espalhe suavemente em direção às beiradas. Salpique o que sobrar da menta triturada sobre as camadas de chocolate e leve para o refrigerador até que o chocolate endureça. Você pode quebrá-lo com a mão, ou marcá-lo e quebrá-lo.

O biscoito de chocolate com menta é fácil de refrigerar, congelar e transportar, além de ter um sabor maravilhoso à temperatura ambiente... Ideal com uma xícara de café ou chá e um bom livro.